2025年度版

TAC税理士講座

税理士受験シリーズ

33

財務諸表論

重要会計基準

JN007720

TAC出版

TAC PUBLISHING Group

はじめに

　近年、公表された会計基準は多岐にわたります。またこれからも、すでに公表されている会計基準の改正や新たな会計基準の公表の可能性があります。

　これらに伴い本試験も会計基準からの出題が多くなる傾向にあります。特に、会計基準の空所補充問題や結論の背景および意見書に関する問題が大きな比重を占めています。これらの問題に対応するには、会計基準に示される重要語句や結論の背景等の内容を理解すると同時にそれらを記述できることが必要になります。

　しかし、会計基準や結論の背景等は、膨大な量があり、そのすべてを理解し、記述可能なレベルに到達させることは困難であると言わざるを得ません。

　そこで本書は、税理士試験財務諸表論において必要となる「金融商品に関する会計基準」をはじめとする会計基準をテーマごとに分類して収録し、会計基準と結論の背景および意見書を関連付けて学習することを狙いとしています。

　また、空所補充問題への対策として、出題可能性が高いと考えられる重要語句を穴埋め式で記憶できるように工夫してあります。

　本書が「会計基準への対策」で悩んでいる受験生の１つの道しるべとなることを願っています。

　　　　　　（本書は2024年７月までに公表された会計基準に準拠しています）

TAC税理士講座

本書の利用法

　本書は、税理士試験財務諸表論において、出題可能性の高い会計基準対策の書籍です。特に出題可能性の高い21本の会計基準等を厳選して収録してあります。

　本書の特長は次のような点です。

本試験における重要度を3段階で表示しています。

★★★…非常に高い
★★ …高い
★ …普通

会計基準と結論の背景および意見書をテーマごとに分類し、並べて記載しています。

1 税効果会計の目的

重要度
★★★

会計基準

　税効果会計は、企業会計上の 資産又は負債 の額と課税所得計算上の 資産又は負債 の額に 相違 がある場合において、法人税その他利益に関連する金額を課税標準とする税金（以下「 法人税等 」という。）の額を適切に 期間配分 することにより、 法人税等を控除する前の当期純利益 と 法人税等 を合理的に 対応 させることを目的とする手続である。[(注1)]

（注1）法人税等の範囲
　法人税等には、法人税のほか、都道府県民税、市町村民税及び利益に関連する金額を課税標準とする事業税が含まれる。

注解についても、できる限り収録するようにしました。

意 見 書

二　税効果会計の適用の必要性

1　法人税等の課税所得の計算に当たっては企業会計上の利益の額が基礎となるが、企業会計と課税所得計算とはその目的を異にするため、収益又は費用（益金又は損金）の認識時点や、資産又は負債の額に相違が見られるのが一般的である。

　このため、税効果会計を適用しない場合には、 課税所得 を基礎とした法人税等の額が費用として計上され、法人税等を控除する前の企業会計上の 利益 と 課税所得 とに差異があるときは、 法人税等 の額が法人税等を控除する前の 当期純利益 と期間的に 対応 せず、また、 将来の法人税等の支払額 に対する影響が表示されないことになる。

　このような観点から、『財務諸表』の作成上、税効果会計を全面的に適用することが必要と考える。

2　税効果会計を適用すると、繰延税金資産及び繰延税金負債が貸借対照表に計上されるとともに、当期の法人税等として納付すべき額及び税効果会計の適用による法人税等の調整額が損益計算書に計上されることになる。

　このうち、繰延税金資産は、将来の法人税等の支払額を 減額 する効果を有し、一般的には法人税等の 前払額 に相当するため、 資産 として

128

会計基準と結論の背景および意見書をテーマごとに分類し、並べて記載しています。

覚えておきたい重要語句は赤字で記載しました。本書付録のチェックシートを利用して暗記学習に役立ててください。

Contents

音声ダウンロード版について

　本書の内容をそのまま音声化した「音声ダウンロード版」を、TAC出版書籍販売サイト「サイバーブックストア」にて販売しております。

　目からだけでなく耳からも覚えられるので、学習（記憶）効果は倍増します。

　是非ご利用ください。

https://bookstore.tac-school.co.jp

第1章

企業会計原則及び
企業会計原則注解

最終改正　昭和57年4月20日

1　一般原則
2　損益計算書原則
3　貸借対照表原則

1 一般原則

重要度
★★★

(1) 真実性の原則

会計原則

一　企業会計は、企業の 財政状態 及び 経営成績 に関して、 真実な報告 を提供するものでなければならない。

(2) 正規の簿記の原則

会計原則

二　企業会計は、 すべての取引 につき、 正規の簿記の原則 に従って、 正確な会計帳簿 を作成しなければならない。(注1)

注　解

（注1）重要性の原則の適用について

　企業会計は、定められた会計処理の方法に従って 正確な計算 を行うべきものであるが、企業会計が目的とするところは、企業の 財務内容 を明らかにし、企業の状況に関する 利害関係者の判断 を誤らせないようにすることにあるから、 重要性の乏しいもの については、 本来の厳密な会計処理 によらないで 他の簡便な方法 によることも、 正規の簿記の原則 に従った処理として認められる。

　重要性の原則は、 財務諸表の表示 に関しても適用される。

　重要性の原則の適用例としては、次のようなものがある。

⑴　消耗品、消耗工具器具備品その他の 貯蔵品 等のうち、 重要性の乏しいもの については、その 買入時 又は 払出時 に費用として処理する方法を採用することができる。

⑵　前払費用、未収収益、未払費用及び前受収益のうち、 重要性の乏しいもの については、 経過勘定項目 として処理しないことができる。

⑶　 引当金 のうち、 重要性の乏しいもの については、これを 計上しない ことができる。

⑷　たな卸資産の取得原価に含められる引取費用、関税、買入事務費、移管費、

保管費等の 付随費用 のうち、 重要性の乏しいもの については、 取得原価に算入しない ことができる。

(5)　 分割返済 の定めのある長期の債権又は債務のうち、期限が一年以内に到来するもので 重要性の乏しいもの については、固定資産又は固定負債として表示することができる。

(3)　資本利益区別の原則

会計原則

三　 資本取引 と 損益取引 とを明瞭に区別し、特に 資本剰余金 と 利益剰余金 とを混同してはならない。^(注2)

注　解

(注2)資本取引と損益取引との区別について

(1)　資本剰余金は、 資本取引 から生じた剰余金であり、利益剰余金は 損益取引 から生じた剰余金、すなわち 利益の留保額 であるから、両者が混同されると、企業の 財政状態 及び 経営成績 が適正に示されないことになる。従って、例えば、新株発行による株式払込剰余金から新株発行費用を 控除 することは許されない。

(2)　（略）

(4)　明瞭性の原則

会計原則

四　企業会計は、 財務諸表 によって、 利害関係者 に対し必要な会計事実を 明瞭に表示 し、 企業の状況に関する判断 を誤らせないようにしなければならない。^(注1)

(5)　継続性の原則

会計原則

五　企業会計は、その 処理の原則及び手続 を 毎期継続 して適用し、 みだりに これを変更してはならない。^(注3)

（注３）継続性の原則について

　　企業会計上継続性が問題とされるのは、 1つの会計事実 について２つ以上の 会計処理の原則又は手続 の選択適用が認められている場合である。

　　このような場合に、企業が選択した 会計処理の原則及び手続 を 毎期継続 して適用しないときは、同一の会計事実について異なる利益額が算出されることになり、 財務諸表の期間比較 を困難ならしめ、この結果、企業の 財務内容 に関する利害関係者の判断を誤らしめることになる。

　　従って、いったん採用した 会計処理の原則又は手続 は、 正当な理由 により変更を行う場合を除き、財務諸表を作成する各時期を通じて 継続 して適用しなければならない。（後略）

(6)　保守主義の原則

会計原則

六　企業の財政に 不利な影響 を及ぼす可能性がある場合には、これに備えて 適当に健全な会計処理 をしなければならない。(注4)

注　解

（注４）保守主義の原則について

　　企業会計は、予測される 将来の危険 に備えて、 慎重な判断 に基づく会計処理を行わなければならないが、 過度に保守的な会計処理 を行うことにより、企業の財政状態及び経営成績の 真実な報告 をゆがめてはならない。

(7)　単一性の原則

会計原則

七　 株主総会提出 のため、 信用目的 のため、 租税目的 のため等種々の目的のために異なる形式の財務諸表を作成する必要がある場合、それらの内容は、信頼しうる 会計記録 に基づいて作成されたものであって、政策の考慮のために 事実の真実な表示 をゆがめてはならない。

2 損益計算書原則　重要度 ★★★

(1) 損益計算書の本質

会計原則

一　損益計算書は、企業の 経営成績 を明らかにするため、一会計期間に属する すべての収益 とこれに対応する すべての費用 とを記載して 経常利益 を表示し、これに 特別損益 に属する項目を加減して 当期純利益 を表示しなければならない。

　A　すべての費用及び収益は、その 支出及び収入 に基づいて計上し、その 発生した期間 に正しく割当てられるように処理しなければならない。ただし、未実現収益 は、原則として、当期の損益計算 に計上してはならない。

　　　前払費用 及び 前受収益 は、これを当期の損益計算から除去し、未払費用 及び 未収収益 は、当期の損益計算に計上しなければならない。(注5)

　B　費用及び収益は、総額 によって記載することを原則とし、費用の項目と収益の項目とを 直接に相殺 することによってその全部又は一部を損益計算書から 除去 してはならない。

　C　費用及び収益は、その 発生源泉 に従って 明瞭に分類 し、各収益項目とそれに関連する費用項目とを損益計算書に 対応表示 しなければならない。

注　解

(注5) 経過勘定項目について

(1) 前払費用

　前払費用は、一定の契約に従い、継続して役務の提供を受ける場合、いまだ提供されていない役務に対し支払われた対価をいう。従って、このような役務に対する対価は、時間の経過とともに次期以降の費用となるものであるから、これを当期の損益計算から除去するとともに貸借対照表の資産の部に計上しなければならない。また、前払費用は、かかる役務提供契約以外の契

約等による前払金とは区別しなければならない。

(2) 前受収益

前受収益は、一定の契約に従い、継続して役務の提供を行う場合、いまだ提供していない役務に対し支払を受けた対価をいう。従って、このような役務に対する対価は、時間の経過とともに次期以降の収益となるものであるから、これを当期の損益計算から除去するとともに貸借対照表の負債の部に計上しなければならない。また、前受収益は、かかる役務提供契約以外の契約等による前受金とは区別しなければならない。

(3) 未払費用

未払費用は、一定の契約に従い、継続して役務の提供を受ける場合、既に提供された役務に対していまだその対価の支払が終らないものをいう。従って、このような役務に対する対価は、時間の経過に伴い既に当期の費用として発生しているものであるから、これを当期の損益計算に計上するとともに貸借対照表の負債の部に計上しなければならない。また、未払費用は、かかる役務提供契約以外の契約等による未払金とは区別しなければならない。

(4) 未収収益

未収収益は、一定の契約に従い、継続して役務の提供を行う場合、既に提供した役務に対していまだその対価の支払を受けていないものをいう。従って、このような役務に対する対価は時間の経過に伴い既に当期の収益として発生しているものであるから、これを当期の損益計算に計上するとともに貸借対照表の資産の部に計上しなければならない。また、未収収益は、かかる役務提供契約以外の契約等による未収金とは区別しなければならない。

(2) 損益計算書の区分

会計原則

二　損益計算書には、営業損益計算、経常損益計算及び純損益計算の区分を設けなければならない。

A　営業損益計算の区分は、当該企業の営業活動から生ずる費用及び収益を記載して、営業利益を計算する。

2つ以上の営業を目的とする企業にあっては、その費用及び収益を主要な営業別に区分して記載する。

B　経常損益計算の区分は、営業損益計算の結果を受けて、利息及び割引料、有価証券売却損益その他営業活動以外の原因から生ずる損益で

6

あって 特別損益 に属しないものを記載し、 経常利益 を計算する。

C 純損益計算 の区分は、経常損益計算の結果を受けて、（省略）、固定資産売却損益等の 特別損益 を記載し、当期純利益を計算する。

D （略）

(3) 営業利益

会計原則

三 営業損益計算は、一会計期間に属する売上高と売上原価とを記載して売上総利益を計算し、これから販売費及び一般管理費を控除して、営業利益を表示する。

A 企業が商品等の販売と役務の給付とをともに主たる営業とする場合には、商品等の売上高と役務による営業収益とは、これを区別して記載する。

B 売上高は、 実現主義の原則 に従い、商品等の販売又は役務の給付によって 実現 したものに限る。ただし、長期の未完成請負工事等については、合理的に収益を見積り、これを当期の損益計算に計上することができる。^{(注6) (注7)}

C〜F （略）

注 解

(注6) 実現主義の適用について

委託販売、試用販売、予約販売、割賦販売等特殊な販売契約による売上収益の実現の基準は、次によるものとする。

(1) 委託販売

委託販売については、受託者が委託品を 販売 した日をもって売上収益の実現の日とする。従って、決算手続中に仕切精算書（売上計算書）が到達すること等により決算日までに販売された事実が明らかとなったものについては、これを当期の売上収益に計上しなければならない。ただし、仕切精算書が販売のつど送付されている場合には、当該仕切精算書が到達した日をもって売上収益の実現の日とみなすことができる。

(2) 試用販売

試用販売については、得意先が 買取りの意思 を表示することによって売上が実現するのであるから、それまでは、当期の売上高に計上してはならない。

(3) 予約販売

予約販売については、予約金受取額のうち、決算日までに商品の引渡し又は役務の給付が完了した分だけを当期の売上高に計上し、残額は貸借対照表の負債の部に記載して次期以後に繰延べなければならない。

(4) 割賦販売

割賦販売については、商品等を 引渡し た日をもって売上収益の実現の日とする。

しかし、割賦販売は通常の販売と異なり、その代金回収の期間が 長期 にわたり、かつ、 分割払 であることから代金回収上の危険率が高いので、 貸倒引当金 及び代金回収費、アフター・サービス費等の引当金の計上について 特別の配慮 を要するが、その算定に当っては、 不確実性 と 煩雑さ とを伴う場合が多い。従って、収益の認識を 慎重 に行うため、販売基準に代えて、割賦金の回収期限の到来の日又は 入金の日 をもって売上収益実現の日とすることも認められる。

(注7) 工事収益について

長期の請負工事に関する収益の計上については、工事進行基準又は工事完成基準のいずれかを選択適用することができる。

(1)及び(2) (略)

(4) 営業外損益

会計原則

四　営業外損益は、受取利息（中略）、有価証券売却益等の営業外収益と支払利息（中略）、有価証券売却損、有価証券評価損等の営業外費用とに区分して表示する。

(5) 経常利益

会計原則

五　経常利益は、営業利益に営業外収益を加え、これから営業外費用を控除して表示する。

(6)　特別損益

会計原則

六　特別損益は、（中略）固定資産売却益等の特別利益と（中略）、固定資産売却損、災害による損失等の特別損失とに区分して表示する。

(7)　税引前当期純利益

会計原則

七　税引前当期純利益は、経常利益に特別利益を加え、これから特別損失を控除して表示する。

(8)　当期純利益

会計原則

八　当期純利益は、税引前当期純利益から当期の負担に属する法人税額、住民税額等を控除して表示する。(注13)

注　解

（注13）法人税等の追徴税額等について

　法人税等の更正決定等による追徴税額及び還付税額は、税引前当期純利益に加減して表示する。この場合、当期の負担に属する法人税等とは区別することを原則とするが、重要性の乏しい場合には、当期の負担に属するものに含めて表示することができる。

3 貸借対照表原則

重要度 ★★★

(1) 貸借対照表の本質

会計原則

一　貸借対照表は、企業の 財政状態 を明らかにするため、 貸借対照表日 における すべての資産、負債及び資本 を記載し、株主、債権者その他の利害関係者にこれを正しく表示するものでなければならない。ただし、 正規の簿記の原則 に従って処理された場合に生じた 簿外資産及び簿外負債 は、貸借対照表の記載外におくことができる。(注1)

A　資産、負債及び資本は、適当な区分、配列、分類及び評価の基準に従って記載しなければならない。

B　資産、負債及び資本は、 総額 によって記載することを原則とし、資産の項目と負債又は資本の項目とを 相殺 することによって、その全部又は一部を貸借対照表から 除去 してはならない。

C　受取手形の割引高又は裏書譲渡高、保証債務等の偶発債務、債務の担保に供している資産、発行済株式1株当たり当期純利益及び同1株当たり純資産額等企業の財務内容を判断するために重要な事項は、貸借対照表に注記しなければならない。

D　将来の期間に影響する特定の費用は、次期以後の期間に配分して処理するため、 経過的に 貸借対照表の 資産の部 に記載することができる。(注15)

E　貸借対照表の資産の合計金額は、負債と資本の合計金額に一致しなければならない。

注　解

(注15) 将来の期間に影響する特定の費用について

「将来の期間に影響する特定の費用」とは、 すでに代価の支払が完了し又は支払義務が確定 し、これに対応する 役務の提供を受けた にもかかわらず、その 効果が将来にわたって発現するものと期待される費用 をいう。

　これらの費用は、その 効果が及ぶ数期間 に合理的に配分するため、経過的に貸借対照表上 繰延資産 として計上することができる。

　なお、天災等により固定資産又は企業の営業活動に必須の手段たる資産の上に生じた損失が、その期の純利益又は当期未処分利益から当期の処分予定額を控除した金額をもって負担しえない程度に巨額であって特に法令をもって認められた場合には、これを経過的に貸借対照表の資産の部に記載して繰延経理することができる。

(2)　貸借対照表の区分

会計原則

二　貸借対照表は、資産の部、負債の部及び資本の部の三区分に分ち、さらに資産の部を流動資産、固定資産及び繰延資産に、負債の部を流動負債及び固定負債に区分しなければならない。

(3)　貸借対照表の配列

会計原則

三　資産及び負債の項目の配列は、原則として、 流動性配列法 によるものとする。

(4)　貸借対照表科目の分類

会計原則

四　資産、負債及び資本の各科目は、一定の基準に従って明瞭に分類しなければならない。

(一)　(略)

(二)　負債

A　(略)

B　社債、長期借入金等の長期債務は、固定負債に属するものとする。
　　引当金のうち、退職給与引当金、特別修繕引当金のように、通常1年をこえて使用される見込のものは、固定負債に属するものとする。(注18)

C　(略)

(三)　(略)

（注18）引当金について

　　 将来の特定の費用又は損失 であって、その 発生が当期以前の事象に起因 し、 発生の可能性が高く 、かつ、その 金額を合理的に見積ることができる 場合には、 当期の負担 に属する金額を 当期の費用又は損失 として引当金に繰入れ、当該引当金の残高を貸借対照表の 負債の部 又は 資産の部 に記載するものとする。

　　製品保証引当金、売上割戻引当金、返品調整引当金、賞与引当金、工事補償引当金、退職給与引当金、修繕引当金、特別修繕引当金、債務保証損失引当金、損害補償損失引当金、貸倒引当金等がこれに該当する。

　　 発生の可能性の低い 偶発事象に係る費用又は損失については、 引当金 を計上することはできない。

(5)　資産の貸借対照表価額

会計原則

五　貸借対照表に記載する資産の価額は、原則として、当該資産の 取得原価 を基礎として計上しなければならない。

　　資産の 取得原価 は、資産の種類に応じた 費用配分の原則 によって、各事業年度に 配分 しなければならない。有形固定資産は、当該資産の 耐用期間 にわたり、定額法、定率法等の一定の 減価償却の方法 によって、その 取得原価 を各事業年度に 配分 し、無形固定資産は、当該資産の 有効期間 にわたり、一定の 減価償却の方法 によって、その 取得原価 を各事業年度に 配分 しなければならない。繰延資産についても、これに準じて、各事業年度に均等額以上を 配分 しなければならない。(注20)

A～C　（略）

D　有形固定資産については、その取得原価から減価償却累計額を控除した価額をもって貸借対照表価額とする。有形固定資産の取得原価には、原則として当該資産の引取費用等の付随費用を含める。現物出資として受入れた固定資産については、出資者に対して交付された株式の発行価額をもって取得原価とする。(注24)

　　償却済の有形固定資産は、除却されるまで残存価額又は備忘価額で記載する。

E　無形固定資産については、当該資産の取得のために支出した金額から減価償却累計額を控除した価額をもって貸借対照表価額とする。

F　贈与その他無償で取得した資産については、公正な評価額をもって取得原価とする。^(注24)[注24]

注　解

（注20）減価償却の方法について

固定資産の減価償却の方法としては、次のようなものがある。

(1)　定額法　固定資産の耐用期間中、 毎期均等額 の減価償却費を計上する方法

(2)　定率法　固定資産の耐用期間中、 毎期期首未償却残高 に一定率を乗じた減価償却費を計上する方法

(3)　級数法　固定資産の耐用期間中、毎期一定の額を 算術級数的に逓減 した減価償却費を計上する方法

(4)　生産高比例法　固定資産の耐用期間中、毎期当該資産による 生産 又は 用役の提供 の度合に比例した減価償却費を計上する方法

この方法は、当該固定資産の 総利用可能量 が物理的に確定でき、かつ、減価が主として 固定資産の利用 に比例して発生するもの、例えば、鉱業用設備、航空機、自動車等について適用することが認められる。

なお、同種の物品が多数集まって1つの全体を構成し、老朽品の 部分的取替 を繰り返すことにより全体が維持されるような固定資産については、部分的取替に要する費用を 収益的支出 として処理する方法（ 取替法 ）を採用することができる。

（注24）国庫補助金等によって取得した資産について

国庫補助金、工事負担金等で取得した資産については、国庫補助金等に相当する金額をその取得原価から控除することができる。

この場合においては、貸借対照表の表示は、次のいずれかの方法によるものとする。

(1)　取得原価から国庫補助金等に相当する金額を 控除する形式 で記載する方法

(2)　取得原価から国庫補助金等に相当する金額を控除した残額のみを記載し、当該国庫補助金等の金額を 注記 する方法

第2章

企業会計原則と関係諸法令との調整に関する連続意見書

1 連続意見書第三 有形固定資産の減価償却について 重要度 ★★★

第一 企業会計原則と減価償却

意見書

二 減価償却と損益計算

（減価償却と損益計算）

　減価償却の最も重要な目的は、 適正な費用配分 を行なうことによって、 毎期の損益計算を正確ならしめること である。このためには、減価償却は 所定の減価償却方法 に従い、 計画的 、 規則的 に実施されねばならない。利益におよぼす影響を顧慮して減価償却費を任意に増減することは、右に述べた正規の減価償却に反するとともに、損益計算をゆがめるものであり、是認し得ないところである。（後略）

三 臨時償却、過年度修正

（臨時償却、過年度修正）

　減価償却計画の設定に当たつて予見することのできなかつた新技術の発明等の外的事情により、固定資産が 機能的に著しく減価 した場合には、この事実に対応して臨時に減価償却を行なう必要がある。（中略）

　なお、災害、事故等の偶発的事情によつて固定資産の 実体が滅失 した場合には、その滅失部分の金額だけ当該資産の簿価を切り下げねばならない。かかる切下げは臨時償却に類似するが、その性質は 臨時損失 であつて、減価償却とは異なるものである。

四 固定資産の取得原価と残存価額

（固定資産の取得原価と残存価額）

　減価償却は、原則として、固定資産の取得原価を耐用期間の各事業年度に配分することであるから、取得原価の決定は、減価償却にとつて重要な意味を有する。固定資産の取得にはさまざまの場合があり、それぞれに応じて取得原価の計算も異なる。

　　1　購入　固定資産を購入によつて取得した場合には、 購入代金 に買入手数料、運送費、荷役費、据付費、試運転費等の 付随費用 を加えて取

得原価とする。但し、正当な理由がある場合には、付随費用の一部又は全部を加算しない額をもつて取得原価とすることができる。

　購入に際して値引又は割戻を受けたときには、これを購入代金から控除する。

2　自家建設　固定資産を自家建設した場合には、適正な原価計算基準に従つて　製造原価　を計算し、これに基づいて取得原価を計算する。建設に要する借入資本の利子で　稼働前の期間に属するもの　は、これを　取得原価　に算入することができる。

3　現物出資　株式を発行しその対価として固定資産を受け入れた場合には、出資者に対して交付された　株式の発行価額　（中略）をもつて取得原価とする。

4　交換　自己所有の固定資産と交換に固定資産を取得した場合には、交換に供された　自己資産の適正な簿価　をもつて取得原価とする。

自己所有の株式ないし社債等と固定資産を交換した場合には、当該　有価証券の時価又は適正な簿価　をもつて取得原価とする。

5　贈与　固定資産を贈与された場合には、　時価等を基準　として　公正に評価した額　をもつて取得原価とする。

固定資産の取得原価から耐用年数到来時におけるその残存価額を控除した額が、各期間にわたつて配分されるべき減価償却総額である。残存価額は、固定資産の耐用年数到来時において予想される当該資産の　売却価格　又は　利用価格　である。この場合、解体、撤去、処分等のために費用を要するときには、これを　売却価格　又は　利用価格　から　控除　した額をもつて残存価額とする。（後略）

五　費用配分基準と減価発生の原因
（費用配分基準と減価発生の原因）

固定資産の取得原価から残存価額を控除した額すなわち減価償却総額は、　期間　又は　生産高（利用高）　のいずれかを基準として配分される。およそ固定資産は土地のような非償却資産を除くと、物質的原因又は機能的原因によつて減価し、早晩廃棄更新されねばならない状態に至るものである。　物質的減価　は、利用ないし時の経過による固定資産の磨滅損耗を原因とするものであり、　機能的減価　は、物質的にはいまだ使用に耐えるが、外的事情により固定資産が陳腐化し、あるいは不適応化したことを原因とするものである。

減価が主として　時の経過　を原因として発生する場合には、　期間　を配

分基準とすべきである。これに対して、減価が主として 固定資産の利用 に比例して発生する場合には、生産高 を配分基準とするのが合理的である。

六　減価償却計算法
1　期間を配分基準とする方法

　期間を配分基準とする減価償却期間の根本問題は、耐用年数の決定に存するが、これが決定されている場合、各事業年度の減価償却費を計算する方法としては次のごときものがある。

　　　定額法
　　　定率法
　　　級数法

（後略）

2　生産高を配分基準とする方法

　生産高（利用高）を配分基準とする方法には 生産高比例法 がある。この方法は、前述のように、減価が主として固定資産の 利用 に比例して発生することを前提とするが、このほか、当該固定資産の 総利用可能量 が物量的に確定できることもこの方法適用のための条件である。かかる制限があるため、生産高比例法は、期間を配分基準とする方法と異なりその適用さるべき固定資産の範囲が狭く、鉱業用設備、航空機、自動車 等に限られている。

　なお、生産高比例法に類似する方法に 減耗償却 がある。減耗償却 は、減耗性資産 に対して適用される方法である。減耗性資産 は、鉱山業における埋蔵資源あるいは林業における山林のように、採取されるにつれて漸次減耗 し涸渇する 天然資源 を表わす資産であり、その全体としての用役をもつて生産に役立つものではなく、採取されるに応じてその 実体 が部分的に製品化されるものである。したがつて、減耗償却は 減価償却 とは異なる 別個の費用配分 法であるが、手続的には 生産高比例法 と同じである。

七　取替法
（取替法）

　同種の物品が多数集まつて1つの全体を構成 し、老朽品の部分的取替 を繰り返すことにより 全体が維持 されるような固定資産に対しては、取替法を適用することができる。取替法は、減価償却法とは全く異なり、減価償却の代りに部分的取替に要する取替費用を 収益的支出 として処理する方法で

18

ある。取替法の適用が認められる資産は ┃取替資産┃ と呼ばれ、軌条、信号機、送電線、需要者用ガス計量器、工具器具等がその例である。

八　耐用年数の決定
（耐用年数の決定）

　固定資産の耐用年数は、┃物質的減価┃ と ┃機能的減価┃ の双方を考慮して決定されねばならない。物質的減価は技術的に比較的正確に予測されうるが、機能的減価は偶然性を帯び、これを的確に予測することがはなはだ困難である。このために、従来、耐用年数は主として物質的減価を基礎として決定され、機能的減価はあまり考慮されないのが実情であつた。しかしながら、今日のように技術的革新がめざましい勢いで進行しつつある時代においては、機能的減価を軽視することは許されない。したがつて、今後における耐用年数の決定に際しては、機能的減価の重要性を認め、過去の統計資料を基礎とし、これに将来の趨勢を加味してできるだけ合理的に機能的減価の発生を予測することが要求される。（後略）

九　一般的耐用年数と個別的耐用年数
（一般的耐用年数と個別的耐用年数）

　固定資産の耐用年数には、一般的耐用年数と企業別の個別的耐用年数とがある。一般的耐用年数は、耐用年数を左右すべき諸条件を社会的平均的に考慮して決定されたもので、固定資産の種類が同じであれば、個々の資産の置かれた特殊的条件にかかわりなく全国的に画一的に定められた耐用年数である。これに対して、個別的耐用年数は、各企業が自己の固定資産につきその特殊的条件を考慮して自主的に決定したものである。元来、固定資産はそれが同種のものであつても、操業度の大小、技術水準、修繕維持の程度、経営立地条件の相違等によつてその耐用年数も異なるべきものである。現在、わが国では税法の立場から定められた一般的耐用年数のみが行なわれているが、上述の理由により、企業を単位とする個別的耐用年数の制度を確立し、わが国の減価償却制度を合理化する必要がある。

第一　企業会計原則と棚卸資産評価

意見書

五　取得原価の決定

1　購入品の取得原価

（購入品の取得原価）

　購入棚卸資産の取得原価は、 購入代価 に 副費（附随費用）の一部又は 全部 を加算することにより算定される。

　購入代価は、 送状価額 から 値引額 、 割戻額 等を控除した金額とする。割戻額が確実に予定され得ない場合には、これを控除しない送状価額を購入代価とすることができる。

　現金割引額は、理論的にはこれを送状価額から控除すべきであるが、わが国では現金割引制度が広く行なわれていない関係もあり、現金割引額は控除しないでさしつかえないものとする。

　副費として加算する項目は、引取運賃、購入手数料、関税等容易に加算しうる外部副費（引取費用）に限る場合があり、外部副費の全体とする場合がある。さらに購入事務費、保管費その他の内部副費をも取得原価に含める場合がある。加算する副費の範囲を一律に定めることは困難であり、各企業の実情に応じ、収益費用対応の原則、 重要性の原則 、継続性の原則等を考慮して、これを適正に決定することが必要である。（後略）

2　生産品の取得原価

(1)　完成品の取得原価

（生産品の取得原価）

　　生産品については適正な原価計算の手続により算定された 正常実際製 造原価 をもつて取得原価とする。（後略）

七　棚卸資産の範囲

（棚卸資産の範囲）

　貸借対照表に棚卸資産として記載される資産の実体は、次のいずれかに該当する財貨又は用役である。

㈠ 通常の営業過程において 販売 するために保有する財貨又は用役
㈡ 販売 を目的として現に 製造中 の財貨又は用役
㈢ 販売 目的の財貨又は用役を 生産 するために短期間に 消費 されるべき財貨
㈣ 販売活動および一般管理活動 において短期間に 消費 されるべき財貨

　生産販売のために購入された材料その他の財貨が、一部、長期性資産の製作に供用されることがあつても、本来、生産目的で保有されるのであれば当該財貨のすべてを棚卸資産とする。

3 連続意見書第五 繰延資産について

重要度 ★★★

第一 企業会計原則と繰延資産

(意 見 書)

二　繰延資産と損益計算

（繰延資産と損益計算）

　企業会計原則では、企業の損益計算は、ある期間の収益からこれに対応する費用を差し引くことによつて行なわれるものとしている。この場合、収益と費用は、その 収入 および 支出 に基づいて計上されるのみでなく、それらが 発生 した期間に正しく割り当てられる必要がある。したがつて、ある期間の損益計算に計上すべき収益と費用の金額を決定するには、できる限り、具体的な事実もしくは客観的な根拠によらなければならない。もつぱら主観的な判断によつて収益もしくは費用の金額を定めることは、損益計算上、厳に排除されるのである。

　いわゆる繰延資産は、ある支出額の全部が、支出を行なつた期間のみが負担する費用となることなく、数期間にわたる費用として取り扱われる場合に生ずる。この点は前払費用の生ずる場合と同様であるが、前払費用は、前に述べたように、すでに支出は完了したが、いまだ当期中に提供を受けていない 役務 の対価たる特徴を有している。これに対し、繰延資産は、支出が完了していることは同様であるが、 役務 そのものはすでに提供されている場合に生ずる。

このような支出額を当期のみの費用として計上せず、数期間の費用として処理しようとするとき、ここに 繰延経理 という考え方が適用され、この結果、次期以降の費用とされた金額は、繰延資産として、貸借対照表の資産の部に掲記されることとなるのである。

　ある支出額が繰延経理される根拠は、おおむね、次の2つに分類することができる。

　(一)　ある支出が行なわれ、また、それによつて役務の提供を受けたにもかかわらず、支出もしくは役務の有する効果が、当期のみならず、次期以降にわたるものと予想される場合、 効果の発現という事実を重視 して、効果の及ぶ期間にわたる費用として、これを配分する。

　(二)　ある支出が行なわれ、また、それによつて役務の提供を受けたにもかかわらず、その金額が当期の収益に全く貢献せず、むしろ、次期以降の損益に関係するものと予想される場合、 収益との対応関係を重視 して、数期間の費用として、これを配分する。

　この2つの根拠は、しばしば、1つの具体的な事象のなかに混在することがあるが、もし、このような根拠があれば、支出額の全部を、支出の行なわれた期間の費用として取り扱うことは適当ではない。すなわち、支出額を繰延経理の対象とし、決算日において、当該事象の性格に従つて、その全額を貸借対照表の資産の部に掲記して将来の期間の損益計算にかかわらせるか、もしくは、一部を償却してその期間の損益計算の費用として計上するとともに、未償却残高を貸借対照表に掲記する必要がある。換言すれば、繰延資産が貸借対照表における資産の部に掲げられるのは、それが換金能力という観点から考えられる 財産性 を有するからではなく、まさに、 費用配分の原則 によるものといわなければならない。したがつて、企業会計原則の立場からすれば、支出額を数期間の費用として正しく配分することに、きわめて重要な意味がある。

（後略）

第3章

金融商品に関する会計基準

最終改正　2019年7月4日
（2022年10月28日修正）

1 金融資産及び金融負債の範囲

重要度 ★

4．金融資産とは、 現金預金 、受取手形、売掛金及び貸付金等の 金銭債権 、株式その他の出資証券及び公社債等の 有価証券 並びに先物取引、先渡取引、オプション取引、スワップ取引及びこれらに類似する取引（以下「 デリバティブ取引 」という。） により生じる正味の債権等 をいう。

5．金融負債とは、支払手形、買掛金、借入金及び社債等の 金銭債務 並びに デリバティブ取引により生じる正味の債務等 をいう。

（結論の背景）

52．本会計基準の適用対象となる金融資産及び金融負債については、適用範囲の 明確化 の観点から、米国基準等に見られる 抽象的 な定義によるのではなく、現金預金、金銭債権債務、有価証券、デリバティブ取引により生じる正味の債権債務等の 具体的 な資産負債項目をもって、その範囲を示すこととした。なお、デリバティブ取引に関しては、その価値は当該契約を構成する 権利 と 義務 の価値の 純額 に求められることから、デリバティブ取引により生じる正味の債権は 金融資産 となり、正味の債務は 金融負債 となる（第4項及び第5項参照）。このように金融資産及び金融負債の範囲を 具体的 に定めたことにより、国際的な基準における適用範囲との差異が生じるものではない。なお、金融資産、金融負債及びデリバティブ取引に係る契約を総称して 金融商品 ということにするが、 金融商品 には複数種類の金融資産又は金融負債が組み合わされているもの（複合金融商品）も含まれる。

金融資産及び金融負債の
発生及び消滅の認識　重要度 ★★

会計基準

1．金融資産及び金融負債の発生の認識

7．金融資産の契約上の ｜権利｜ 又は金融負債の契約上の ｜義務｜ を生じさせ
る ｜契約を締結｜ したときは、原則として、当該金融資産又は金融負債の発
生を認識しなければならない。

結論の背景

55．商品等の売買又は役務の提供の対価に係る金銭債権債務は、一般に ｜商品
等の受渡し｜ 又は ｜役務提供の完了｜ によりその発生を認識するが、金融資
産又は金融負債自体を対象とする取引については、当該取引の ｜契約時｜ か
ら当該金融資産又は金融負債の ｜時価の変動リスク｜ や契約の相手方の財政
状態等に基づく ｜信用リスク｜ が契約当事者に生じるため、｜契約締結時｜
においてその発生を認識することとした（第7項参照）。

　　　したがって、有価証券については原則として ｜約定時｜ に発生を認識し、
デリバティブ取引については、契約上の決済時ではなく ｜契約の締結時｜ に
その発生を認識しなければならない。

会計基準

2．金融資産及び金融負債の消滅の認識

(1)　金融資産の消滅の認識要件

8．金融資産の契約上の ｜権利を行使｜ したとき、｜権利を喪失｜ したとき又
は ｜権利に対する支配が他に移転｜ したときは、当該金融資産の消滅を認識
しなければならない。

9．金融資産の契約上の権利に対する支配が他に移転するのは、次の要件がす
べて充たされた場合とする。

　(1)　譲渡された金融資産に対する譲受人の契約上の権利が譲渡人及びその債
　　　権者から法的に保全されていること

　(2)　譲受人が譲渡された金融資産の契約上の権利を直接又は間接に通常の方
　　　法で享受できること

(3) 譲渡人が譲渡した金融資産を当該金融資産の満期日前に買戻す権利及び義務を実質的に有していないこと

56. 金融資産については、当該金融資産の契約上の 権利を行使 したとき、契約上の 権利を喪失 したとき又は契約上の 権利に対する支配が他に移転 したときに、その消滅を認識することとした（第8項参照）。例えば、債権者が貸付金等の債権に係る資金を回収したとき、保有者がオプション権を行使しないままに行使期間が満了したとき又は保有者が有価証券等を譲渡したときなどには、それらの金融資産の消滅を認識することとなる。

57. 金融資産を譲渡する場合には、譲渡後において譲渡人が譲渡資産や譲受人と一定の関係（例えば、リコース権（遡求権）、買戻特約等の保持や譲渡人による回収サービス業務の遂行）を有する場合がある。このような条件付きの金融資産の譲渡については、金融資産の リスク と 経済価値のほとんどすべて が他に移転した場合に当該 金融資産の消滅 を認識する方法（以下「 リスク・経済価値アプローチ 」という。）と、金融資産を構成する財務的要素（以下「 財務構成要素 」という。）に対する支配が他に移転した場合に当該移転した 財務構成要素の消滅 を認識し、留保される 財務構成要素の存続 を認識する方法（以下「 財務構成要素アプローチ 」という。）とが考えられる。証券・金融市場の発達により金融資産の流動化・証券化が進展すると、例えば、譲渡人が自己の所有する金融資産を譲渡した後も回収サービス業務を引き受ける等、金融資産を財務構成要素に分解して取引することが多くなるものと考えられる。このような場合、リスク・経済価値アプローチでは 金融資産を財務構成要素に分解 して 支配の移転を認識することができない ため、取引の 実質的な経済効果 が 譲渡人の財務諸表に反映されない こととなる。

(2) 金融負債の消滅の認識要件

10. 金融負債の契約上の 義務を履行 したとき、 義務が消滅 したとき又は 第一次債務者の地位から免責 されたときは、当該金融負債の消滅を認識しなければならない。

26

結論の背景

59.　金融負債については、当該金融負債の契約上の 義務を履行 したとき、契約上の 義務が消滅 したとき又は契約上の 第一次債務者の地位から免責 されたときに、その消滅を認識することとした（第10項参照）。したがって、債務者は、債務を弁済したとき又は債務が免除されたときに、それらの金融負債の消滅を認識することとなる。

3 金融資産及び金融負債の評価基準に関する基本的考え方 　重要度 ★★★

結論の背景

64.　金融資産については、一般的には、 市場 が存在すること等により 客観的な価額 として 時価 を把握できるとともに、当該価額により 換金・決済 等を行うことが可能である。

　このような金融資産については、次のように考えられる。

⑴　金融資産の多様化、価格変動リスクの増大、取引の国際化等の状況の下で、 投資者 が自己責任に基づいて 投資判断 を行うために、金融資産の時価評価を導入して企業の 財務活動 の実態を適切に財務諸表に反映させ、 投資者 に対して的確な 財務情報 を提供することが必要である。

⑵　金融資産に係る取引の実態を反映させる会計処理は、 企業 の側においても、 取引内容 の十分な把握と リスク管理 の徹底及び 財務活動の成果 の的確な把握のために必要である。

⑶　我が国企業の国際的な事業活動の進展、国際市場での資金調達及び海外投資者の我が国証券市場での投資の活発化という状況の下で、財務諸表等の企業情報は、国際的視点からの 同質性 や 比較可能性 が強く求められている。また、デリバティブ取引等の金融取引の国際的レベルでの活性化を促すためにも、金融商品に係る我が国の会計基準の 国際的調和化 が重要な課題となっている。

65.　また、金融資産の時価情報の開示は、時価情報の 注記 によって満足されるというものではない。したがって、 客観的 な時価の測定可能性が認

められないものを除き、時価による自由な 換金・決済 等が可能な金融資産については、 投資情報 としても、 企業の財務認識 としても、さらに、 国際的調和化 の観点からも、これを時価評価し適切に財務諸表に反映することが必要であると考えられる。

66. しかし、金融資産の 属性 及び 保有目的 に鑑み、実質的に 価格変動リスク を認める必要のない場合や直ちに売買・換金を行うことに 事業遂行上等の制約 がある場合が考えられる。このような 保有目的 等をまったく考慮せずに時価評価を行うことが、必ずしも、企業の 財政状態 及び 経営成績 を適切に財務諸表に反映させることにならないと考えられることから、時価評価を基本としつつ 保有目的 に応じた処理方法を定めることが適当であると考えられる。

67. 一方、金融負債は、借入金のように一般的には 市場 がないか、社債のように 市場 があっても、自己の発行した社債を時価により自由に清算するには 事業遂行上等の制約 があると考えられることから、デリバティブ取引により生じる正味の債務を除き、 債務額 （ただし、社債を社債金額よりも低い価額又は高い価額で発行した場合など、収入に基づく金額と債務額とが異なる場合には、 償却原価法に基づいて算定された価額 ）をもって貸借対照表価額とし、時価評価の対象としないことが適当であると考えられる。

4 金融資産及び金融負債の貸借対照表価額等

重要度 ★★★

(1) 債 権

会計基準

14. 受取手形、売掛金、貸付金その他の債権の貸借対照表価額は、 取得価額 から 貸倒見積高に基づいて算定された貸倒引当金 を控除した金額とする。ただし、債権を債権金額より低い価額又は高い価額で取得した場合において、取得価額と債権金額との差額の性格が金利の調整と認められるときは、 償却原価法（注5）に基づいて算定された価額 から 貸倒見積高に基づいて算定された貸倒引当金 を控除した金額としなければならない。

（注5）償却原価法について

　　償却原価法とは、金融資産又は金融負債を債権額又は債務額と異なる金額で計
　上した場合において、当該差額に相当する金額を弁済期又は償還期に至るまで毎
　期一定の方法で取得価額に加減する方法をいう。なお、この場合、当該加減額を
　受取利息又は支払利息に含めて処理する。

結論の背景

68.　一般的に、金銭債権については、| 活発な市場がない | 場合が多い。この
　うち、受取手形や売掛金は、通常、| 短期的に決済 | されることが予定され
　ており、| 帳簿価額が時価に近似 | しているものと考えられ、また、貸付金
　等の債権は、| 時価を容易に入手できない | 場合や | 売却することを意図し
　ていない | 場合が少なくないと考えられるので、金銭債権については、原則
　として時価評価は行わないこととした。一方、債権の取得においては、債権
　金額と取得価額とが異なる場合がある。この差異が | 金利の調整 | であると
　認められる場合には、金利相当額を適切に各期の財務諸表に反映させること
　が必要である。したがって、債権については、| 償却原価法 | を適用するこ
　ととし、当該加減額は | 受取利息 | に含めて処理することとした。なお、債
　務者の財政状態及び経営成績の悪化等による債権の | 実質価額 | の減少につ
　いては、別途、「Ⅴ．貸倒見積高の算定」において取り扱うこととした（第
　14項、第27項及び第28項参照）。

（2）　有価証券

会計基準

⑴　売買目的有価証券

15.　| 時価の変動 | により利益を得ることを目的として保有する有価証券（以
　下「売買目的有価証券」という。）は、| 時価 | をもって貸借対照表価額とし、
　評価差額は | 当期の損益 | として処理する。

結論の背景

70.　| 時価の変動 | により利益を得ることを目的として保有する有価証券（売
　買目的有価証券）については、| 投資者 | にとっての | 有用な情報 | は有価
　証券の期末時点での時価に求められると考えられる。したがって、時価を
　もって貸借対照表価額とすることとした。また、売買目的有価証券は、売却

することについて 事業遂行上等の制約 がなく、時価の変動にあたる評価
差額が企業にとっての 財務活動の成果 と考えられることから、その評価
差額は当期の損益として処理することとした（第15項参照）。

会計基準

(2) **満期保有目的の債券**

16. 満期まで所有する意図 をもって保有する社債その他の債券（以下「満
期保有目的の債券」という。）は、取得原価 をもって貸借対照表価額とす
る。ただし、債券を債券金額より低い価額又は高い価額で取得した場合にお
いて、取得価額と債券金額との差額の性格が金利の調整と認められるとき
は、償却原価法に基づいて算定された価額 をもって貸借対照表価額とし
なければならない。

結論の背景

71. 企業が満期まで保有することを目的としていると認められる社債その他の
債券（満期保有目的の債券）については、時価が算定できるものであっても、
満期まで保有することによる 約定利息 及び 元本 の受取りを目的とし
ており、満期までの間の 金利変動 による 価格変動のリスク を認める
必要がないことから、原則として、償却原価法 に基づいて算定された価
額をもって貸借対照表価額とすることとした（第16項参照）。

会計基準

(3) **子会社株式及び関連会社株式**

17. 子会社株式及び関連会社株式は、取得原価 をもって貸借対照表価額と
する。

結論の背景

子会社株式

73. 子会社株式については、事業投資 と同じく時価の変動を 財務活動の
成果 とは捉えないという考え方に基づき、取得原価をもって貸借対照表価
額とすることとした（第17項参照）。なお、連結財務諸表においては、子会
社純資産の実質価額が反映されることになる。

関連会社株式

74. 関連会社株式については、個別財務諸表において、従来、子会社株式以外

の株式と同じく原価法又は低価法が評価基準として採用されてきた。しかし、関連会社株式は、他企業への $\boxed{\text{影響力}}$ の行使を目的として保有する株式であることから、$\boxed{\text{子会社株式の場合と同じく}}$ 事実上の $\boxed{\text{事業投資}}$ と同様の会計処理を行うことが適当であり、取得原価をもって貸借対照表価額とすることとした（第17項参照）。なお、連結財務諸表においては、持分法により評価される。

会計基準

(4)　その他有価証券

18.　$\boxed{\text{売買目的有価証券}}$ 、$\boxed{\text{満期保有目的の債券}}$ 、$\boxed{\text{子会社株式及び関連会社株式}}$ 以外の有価証券（以下「その他有価証券」という。）は、$\boxed{\text{時価}}$ をもって貸借対照表価額とし、評価差額は $\boxed{\text{洗い替え方式}}$ に基づき、次の $\boxed{\text{いずれかの方法}}$ により処理する。

(1)　評価差額の合計額を $\boxed{\text{純資産の部}}$ に計上する。

(2)　時価が取得原価を上回る銘柄に係る評価差額は $\boxed{\text{純資産の部}}$ に計上し、時価が取得原価を下回る銘柄に係る評価差額は $\boxed{\text{当期の損失}}$ として処理する。

　　なお、純資産の部に計上されるその他有価証券の評価差額については、$\boxed{\text{税効果会計}}$ を適用しなければならない。

結論の背景

基本的な捉え方

75.　子会社株式や関連会社株式といった明確な $\boxed{\text{性格}}$ を有する株式以外の有価証券であって、売買目的又は満期保有目的といった $\boxed{\text{保有目的}}$ が明確に認められない有価証券は、業務上の関係を有する企業の株式等から市場動向によっては売却を想定している有価証券まで多様な性格を有しており、一義的にその $\boxed{\text{属性}}$ を定めることは困難と考えられる。このような売買目的有価証券、満期保有目的の債券、子会社株式及び関連会社株式のいずれにも分類できない有価証券（その他有価証券）については、個々の $\boxed{\text{保有目的}}$ 等に応じてその性格付けをさらに細分化してそれぞれの会計処理を定める方法も考えられる。しかしながら、その多様な性格に鑑み $\boxed{\text{保有目的}}$ 等を識別・細分化する $\boxed{\text{客観的}}$ な基準を設けることが困難であるとともに、$\boxed{\text{保有目的}}$ 等自体も多義的であり、かつ、変遷していく面があること等から、$\boxed{\text{売買目的有価証券}}$ と $\boxed{\text{子会社株式及び関連会社株式}}$ との中間的な性格

を有するものとして　一括　して捉えることが適当である。

時価評価の必要性

76. その他有価証券については、前述の評価基準に関する基本的考え方に基づき、時価をもって貸借対照表価額とすることとした（第18項参照）。

評価差額の取扱い

（評価差額の取扱いに関する基本的考え方）

77. その他有価証券の時価は投資者にとって有用な　投資情報　であるが、その他有価証券については、　事業遂行上　等の必要性から直ちに　売買・換金　を行うことには制約を伴う要素もあり、評価差額を直ちに当期の損益として処理することは適切ではないと考えられる。

78. また、国際的な動向を見ても、その他有価証券に類するものの評価差額については、当期の損益として処理することなく、資産と負債の差額である「　純資産　」の部に　直接計上　する方法や　包括利益　を通じて「純資産の部」に計上する方法が採用されている。

79. これらの点を考慮して、本会計基準においては、原則として、その他有価証券の評価差額を当期の損益として処理することなく、　税効果　を調整の上、純資産の部に記載する考え方を採用した（第18項参照）。なお、評価差額については、毎期末の時価と　取得原価　との比較により算定することとした。したがって、期中に売却した場合には、　取得原価　と売却価額との差額が売買損益として当期の損益に含まれることになる。

（評価差額の一部の損益計算書への計上）

80. その他有価証券のうち時価評価を行ったものの評価差額は、前述の考え方に基づき、当期の損益として処理されないこととなる。他方、企業会計上、　保守主義　の観点から、これまで　低価法　に基づく銘柄別の評価差額の損益計算書への計上が認められてきた。このような考え方を考慮し、時価が取得原価を上回る銘柄の評価差額は純資産の部に計上し、時価が取得原価を下回る銘柄の評価差額は　損益計算書　に計上する方法によることもできることとした（第18項(2)参照）。この方法を適用した場合における　損益計算書　に計上する損失の計上方法については、その他有価証券の評価差額は毎期末の時価と取得原価との比較により算定することとの整合性から、　洗い替え方式　によることとした。

会計基準

⑸　市場価格のない株式等の取扱い

19. 市場価格のない株式は、 取得原価 をもって貸借対照表価額とする。市場価格のない株式とは、市場において取引されていない株式とする。また、出資金など株式と同様に持分の請求権を生じさせるものは、同様の取扱いとする。これらを合わせて「 市場価格のない株式等 」という。

結論の背景

81. 時価をもって貸借対照表価額とする有価証券であっても、 市場価格のない株式等 については 取得原価 に基づいて算定された価額をもって貸借対照表価額とすることとした（第19項参照）。

会計基準

⑹　時価が著しく下落した場合

20. 満期保有目的の債券、子会社株式及び関連会社株式並びにその他有価証券のうち、市場価格のない株式等以外のものについて 時価が著しく下落 したときは、 回復する見込がある と認められる場合を除き、 時価 をもって貸借対照表価額とし、評価差額は 当期の損失 として処理しなければならない。

21. 市場価格のない株式等については、発行会社の財政状態の悪化により 実質価額が著しく低下 したときは、 相当の減額 をなし、評価差額は 当期の損失 として処理しなければならない。

22. 第20項及び第21項の場合には、当該時価及び実質価額を 翌期首の取得原価 とする。

結論の背景

83. 従来、取引所の相場のある有価証券について、その時価が 著しく下落 したときには、 回復する見込 があると認められる場合を除き、時価をもって貸借対照表価額とすることとされている。また、市場価格のない株式等については、その実質価額が 著しく低下 したときには相当の減額をすることとされている。このような考え方は、取得原価評価における時価の下落等に対する対応方法として妥当であると認められる。本会計基準においても、市場価格の有無に係わらせて、従来の考え方を踏襲することとした（第20項及び第21項参照）。

84. また、その他有価証券の時価評価について 洗い替え方式 を採っていることから、その時価が 著しく下落 したときには、取得原価まで 回復する見込 があると認められる場合を除き、当該銘柄の帳簿価額を時価により付け替えて 取得原価 を修正することが必要である。この場合には、当該評価差額を 当期の損失 として処理することとした（第20項から第22項参照）。

(3) 運用を目的とする金銭の信託

会計基準

24. 運用を目的とする金銭の信託（合同運用を除く。）は、当該信託財産の構成物である金融資産及び金融負債について、本会計基準により付されるべき評価額を 合計した額 をもって貸借対照表価額とし、評価差額は 当期の損益 として処理する(注8)。

> **(注8)** 運用目的の信託財産の構成物である有価証券の評価について
>
> 　運用目的の信託財産の構成物である有価証券は、売買目的有価証券とみなしてその評価基準に従って処理する。

結論の背景

85. 運用を目的とする金銭の信託（合同運用を除く。）については、企業が当該金銭の信託に係る信託財産を構成する金融資産及び金融負債を運用目的で 間接的 に保有しているものと考えられる。加えて、金銭の信託契約の満了時に、当該金銭の信託に係る信託財産又はそれを時価により換金した現金により支払を受ける場合、 投資者 及び 企業 双方にとって意義を有するのは信託財産の 時価 であると考えられる。また、信託財産の価値を、例えば保有期間中の配当収入と元本部分の価値に分けて捉えることもあるが、両者の合計は 時価 そのものであり、分けて捉える必要はないと考えられる。したがって、運用を目的とする金銭の信託の貸借対照表価額には、信託財産を構成する金融資産及び金融負債のうち時価評価が適切であるものについて、その 時価 を反映することが必要と考えられる。

86. このため、運用を目的とする金銭の信託については、当該金銭の信託に係る信託財産を構成する金融資産及び金融負債に付されるべき評価額を合計した額をもって貸借対照表価額とすることとした。この際、運用を目的とする

34

金銭の信託に係る信託財産については委託者の事業遂行上等の観点からの $\boxed{売買・換金}$ の制約がないことから、当該信託財産を構成する金融資産及び金融負債については $\boxed{時価評価}$ を行い、評価差額は $\boxed{当期の損益}$ に反映させることとした（第24項参照）。

(4)　デリバティブ取引により生じる正味の債権及び債務

会計基準

25.　デリバティブ取引により生じる正味の債権及び債務は、$\boxed{時価}$ をもって貸借対照表価額とし、評価差額は、原則として、$\boxed{当期の損益}$ として処理する。

結論の背景

88.　デリバティブ取引は、取引により生じる正味の債権又は債務の $\boxed{時価の変動}$ により保有者が利益を得又は損失を被るものであり、$\boxed{投資者}$ 及び $\boxed{企業}$ 双方にとって意義を有する価値は当該正味の債権又は債務の時価に求められると考えられる。したがって、デリバティブ取引により生じる正味の債権及び債務については、$\boxed{時価}$ をもって貸借対照表価額とすることとした。また、デリバティブ取引により生じる正味の債権及び債務の $\boxed{時価の変動}$ は、企業にとって $\boxed{財務活動の成果}$ であると考えられることから、その評価差額は、後述するヘッジに係るものを除き、当期の損益として処理することとした（第25項参照）。

89.　（略）

(5)　金銭債務

会計基準

26.　支払手形、買掛金、借入金、社債その他の債務は、$\boxed{債務額}$ をもって貸借対照表価額とする。ただし、社債を社債金額よりも低い価額又は高い価額で発行した場合など、収入に基づく金額と債務額とが異なる場合には、$\boxed{償却原価法に基づいて算定された価額}$ をもって、貸借対照表価額としなければならない。

結論の背景

90. 旧商法では、金銭債務の貸借対照表価額は 債務額 とすることとしていたことから、平成11年会計基準では、社債は 社債金額 をもってその貸借対照表価額とし、社債を 社債金額 よりも低い価額又は高い価額で発行した場合には、当該差額に相当する金額を、資産 繰延資産 又は負債として計上し、 償還期 に至るまで毎期一定の方法により 償却 することとしてきた。

ただし、会計上は、金銭債権を 債権金額 より低い価額又は高い価額で取得した場合において、この差額の性格が 金利の調整 と認められるときは、 償却原価法 に基づいて算定された価額をもって貸借対照表価額とすることとなる。金銭債務についても、その 収入額 と 債務額 とが異なる場合、当該差額は一般に 金利の調整 という性格を有しているため、 償却原価法 に基づいて算定された価額をもって貸借対照表価額とすることが適当と考えられる。

会社法では、 債務額 以外の 適正な価格 をもって負債の貸借対照表価額とすることができることとされたことから、平成18年改正会計基準では、 償却原価法 に基づいて算定された価額をもって貸借対照表価額とすることとした（第26項参照）。

5 貸倒見積高の算定

重要度
★★

(1) 債権の区分

会計基準

27. 貸倒見積高の算定にあたっては、債務者の 財政状態 及び 経営成績 等に応じて、債権を次のように区分する。

(1) 経営状態 に重大な問題が生じていない債務者に対する債権（以下「 一般債権 」という。）

(2) 経営破綻 の状態には至っていないが、 債務の弁済 に重大な問題が生じているか又は生じる可能性の高い債務者に対する債権（以下「 貸倒懸念債権 」という。）

(3) 　経営破綻 又は実質的に 経営破綻 に陥っている債務者に対する債権（以下「 破産更生債権等 」という。）

(2) 貸倒見積高の算定方法

会計基準

28. 債権の貸倒見積高は、その区分に応じてそれぞれ次の方法により算定する(注9)。

(1) 　一般債権については、 債権全体 又は 同種・同類の債権 ごとに、 債権の状況 に応じて求めた 過去の貸倒実績率 等合理的な基準により貸倒見積高を算定する。

(2) 　貸倒懸念債権については、 債権の状況 に応じて、次の いずれかの方法 により貸倒見積高を算定する。ただし、同一の債権については、債務者の 財政状態 及び 経営成績 の状況等が変化しない限り、同一の方法を継続して適用する。

① 　債権額から 担保の処分見込額 及び 保証による回収見込額 を減額し、その残額について債務者の 財政状態 及び 経営成績 を考慮して貸倒見積高を算定する方法

② 　債権の 元本 の回収及び 利息 の受取りに係る キャッシュ・フロー を 合理的に見積る ことができる債権については、債権の元本及び利息について元本の回収及び利息の受取りが見込まれるときから当期末までの期間にわたり 当初の約定利子率 で割り引いた金額の 総額 と債権の 帳簿価額 との差額を貸倒見積高とする方法

(3) 　破産更生債権等については、債権額から 担保の処分見込額 及び 保証による回収見込額 を減額し、その残額を貸倒見積高とする。

（注9） 債権の未収利息の処理について

債務者から契約上の利払日を相当期間経過しても利息の支払を受けていない債権及び破産更生債権等については、すでに計上されている未収利息を当期の損失として処理するとともに、それ以後の期間に係る利息を計上してはならない。

結論の背景

92. 一般債権については、 債権全体 又は 同種・同類の債権 ごとに、 債権の状況 に応じて求めた 過去の貸倒実績率 等合理的な基準により貸倒

見積高を算定することができる。また、債務者が既に 経営破綻 等に陥っている場合には、 個々の債権 ごとに担保等により回収できない部分を貸倒見積高とすることが必要となる（第28項(1)及び(3)参照）。

93. これに対し、貸倒懸念債権については、 一般債権 と 破産更生債権等 の中間に位置し、個々の債権の 実態 に最も適合する算定方法を採用することが必要である。このため、貸倒懸念債権に係る貸倒見積高の算定方法としては、 担保の処分見込額 及び 保証による回収見込額 を考慮する方法の他、 元利金 の将来の キャッシュ・フロー を見積ることが可能な場合、 元利金 の キャッシュ・フロー の予想額を 当初の約定利子率 で割り引いた金額の 総額 と当該債権の 帳簿価額 の差額を貸倒見積高とする方法を示し、債務者の状況や債務返済計画等が変わらない限り、いずれかの方法を 継続 して適用することとした（第28項(2)参照）。

94. （略）

95. また、貸倒引当金の対象となる債権には未収利息が含まれるが、契約上の利息支払日を相当期間経過しても利息の支払が行われていない状態にある場合や、それ以外でも債務者が実質的に経営破綻の状態にあると認められる場合には、未収利息を収益として認識することは適当でないと考えられることから、このような状態に至った場合には、すでに計上している未収利息を取り消すとともに、それ以後の期間に係る未収利息は計上してはならないこととした。

6 ヘッジ会計

重要度 ★★

(1) ヘッジ会計の意義

会計基準

29. ヘッジ会計とは、ヘッジ取引のうち一定の要件を充たすもの[注11]について、 ヘッジ対象に係る損益 と ヘッジ手段に係る損益 を 同一の会計期間 に認識し、 ヘッジの効果 を会計に反映させるための特殊な会計処理をいう。

（注11）ヘッジ取引について

　　ヘッジ取引についてヘッジ会計が適用されるためには、ヘッジ対象が相場変動等による損失の可能性にさらされており、ヘッジ対象とヘッジ手段とのそれぞれに生じる損益が互いに相殺されるか又はヘッジ手段によりヘッジ対象のキャッシュ・フローが固定されその変動が回避される関係になければならない。なお、ヘッジ対象が複数の資産又は負債から構成されている場合は、個々の資産又は負債が共通の相場変動等による損失の可能性にさらされており、かつ、その相場変動等に対して同様に反応することが予想されるものでなければならない。

結論の背景

96. ヘッジ取引とは、ヘッジ対象の資産又は負債に係る相場変動を 相殺 するか、ヘッジ対象の資産又は負債に係るキャッシュ・フローを 固定 してその変動を 回避 することにより、ヘッジ対象である資産又は負債の価格変動、金利変動及び為替変動といった 相場変動 等による損失の可能性を 減殺 することを目的として、デリバティブ取引をヘッジ手段として用いる取引をいう。

97. ヘッジ手段であるデリバティブ取引については、原則的な処理方法によれば時価評価され損益が認識されることとなるが、ヘッジ対象の資産に係る相場変動等が損益に反映されない場合には、両者の損益が期間的に合理的に 対応 しなくなり、ヘッジ対象の相場変動 等による 損失の可能性 が ヘッジ手段 によって カバー されているという 経済的実態 が財務諸表に反映されないこととなる。このため、ヘッジ対象及びヘッジ手段に係る損益を 同一 の会計期間に認識し、ヘッジの効果を 財務諸表に反映 させるヘッジ会計が必要と考えられる。

(2) ヘッジ対象

会計基準

30. ヘッジ会計が適用されるヘッジ対象は、相場変動等による 損失 の可能性がある資産又は負債で、当該資産又は負債に係る 相場変動 等が評価に反映されていないもの、相場変動等が評価に反映されているが評価差額が 損益 として処理されないもの若しくは当該資産又は負債に係る キャッシュ・フローが固定 されその 変動が回避 されるものである。なお、

39

ヘッジ対象には、 予定取引 (注12) により発生が見込まれる資産又は負債も含まれる。

(注12) 予定取引について

予定取引とは、未履行の確定契約に係る取引及び契約は成立していないが、取引予定時期、取引予定物件、取引予定量、取引予定価格等の主要な取引条件が合理的に予測可能であり、かつ、それが実行される可能性が極めて高い取引をいう。

結論の背景

100. ヘッジ会計が適用されるヘッジ対象には、相場変動等による 損失 の可能性がある資産又は負債のうち、 相場 等の 変動 が評価に反映されていないもの及び相場等の変動が評価に反映されていてもその評価差額が 損益 として処理されないものの他、相場等の変動を損益として処理することができるものであっても、当該資産又は負債に係る キャッシュ・フローが固定 されその 変動が回避 されるものはヘッジ対象となる（第30項参照）。

101. また、ヘッジ対象には、この他、 予定取引 （未履行の確定契約を含む。）により発生が見込まれる資産又は負債も含まれる（第30項参照）。ただし、予定取引については、主要な取引条件が合理的に予測可能であり、かつ、その実行される可能性が極めて高い取引に限定することとした。

(3) ヘッジ会計の要件

会計基準

31. ヘッジ取引にヘッジ会計が適用されるのは、次の要件がすべて充たされた場合とする。
   (1) ヘッジ取引時において、ヘッジ取引が企業の リスク管理方針 に従ったものであることが、次のいずれかによって 客観的 に認められること
      ① 当該取引が企業のリスク管理方針に従ったものであることが、文書により確認できること
      ② 企業のリスク管理方針に関して明確な内部規定及び内部統制組織が存在し、当該取引がこれに従って処理されることが期待されること
   (2) ヘッジ取引時以降において、ヘッジ対象とヘッジ手段の損益が高い程度で相殺される状態又はヘッジ対象の キャッシュ・フローが固定 され

その 変動が回避 される状態が 引き続き 認められることによって、ヘッジ手段の効果が 定期的に確認 されていること

結論の背景

103. ヘッジ取引についてヘッジ会計が適用されるためには、基本的には、ヘッジ対象が相場変動等による 損失 の可能性にさらされており、ヘッジ対象とヘッジ手段のそれぞれに生じる損益が互いに 相殺 される関係にあること若しくはヘッジ手段によりヘッジ対象の資産又は負債の キャッシュ・フローが固定 されその 変動が回避 される関係にあることが前提になる。

104. さらに、ヘッジ会計を適用できるか否かの具体的な判定にあたっては、企業の 利益操作 の防止等の観点から、「先物・オプション取引等の会計基準に関する意見書等について」における事前テストと事後テストというヘッジ会計の適用基準の考え方を踏まえ、ヘッジ取引時にはヘッジ取引が企業の リスク管理方針 に基づくものであり、それ以降は上記の前提の効果について 定期的に確認 しなければならないという具体的な要件を定めている（第31項参照）。

(4)　ヘッジ会計の方法

会計基準

32. ヘッジ会計は、原則として、時価評価されている ヘッジ手段に係る損益 又は 評価差額 を、ヘッジ対象に係る損益 が認識されるまで 純資産の部 において繰り延べる方法による(注14)。

　ただし、ヘッジ対象 である資産又は負債に係る相場変動等を 損益 に反映させることにより、その損益とヘッジ手段に係る損益とを 同一の会計期間 に認識することもできる。

　なお、純資産の部に計上されるヘッジ手段に係る損益又は評価差額については、税効果会計 を適用しなければならない。

(注14) 金利スワップについて

　資産又は負債に係る金利の受払条件を変換することを目的として利用されている金利スワップが金利変換の対象となる資産又は負債とヘッジ会計の要件を充たしており、かつ、その想定元本、利息の受払条件（利率、利息の受払日等）及び契約期間が当該資産又は負債とほぼ同一である場合には、金利スワップを時価評

価せず、その金銭の受払の純額等を当該資産又は負債に係る利息に加減して処理することができる。

結論の背景

(1) **原則的処理方法**

105. 1999年会計基準では、ヘッジ会計は、時価評価されているヘッジ手段に係る損益又は評価差額を、ヘッジ対象に係る損益が認識されるまで資産又は負債として繰り延べる方法によることを原則としていたが、当該ヘッジ手段に係る損益又は評価差額は、純資産会計基準により、 税効果 を調整の上、 純資産の部 に記載することとなる（第32項参照）。

(2) **ヘッジ対象に係る損益を認識する方法**

106. ヘッジ対象である資産又は負債に係る相場変動等を 損益 に反映させることができる場合には、当該資産又は負債に係る損益とヘッジ手段に係る損益とを 同一の会計期間 に認識する考え方がある。諸外国の会計基準では、このような考え方に基づく処理も採用されていることを考慮し、これを認めることとした（第32項参照）。

第4章

リース取引に関する会計基準

改正　平成19年3月30日

1　用語の定義
2　会計処理
3　開　示

1 用語の定義

会計基準

4. 「リース取引」とは、特定の物件の所有者たる貸手（レッサー）が、当該物件の借手（レッシー）に対し、合意された期間（以下「 リース期間 」という。）にわたりこれを 使用収益する権利 を与え、借手は、合意された使用料（以下「 リース料 」という。）を貸手に支払う取引をいう。

5. 「ファイナンス・リース取引」とは、リース契約に基づくリース期間の 中途 において当該契約を 解除 することができないリース取引又はこれに準ずるリース取引で、借手が、当該契約に基づき使用する物件（以下「リース物件」という。）からもたらされる 経済的利益 を実質的に享受することができ、かつ、当該リース物件の使用に伴って生じる コスト を実質的に負担することとなるリース取引をいう。

6. 「オペレーティング・リース取引」とは、 ファイナンス・リース取引以外 のリース取引をいう。

7. 「リース取引開始日」とは、借手が、リース物件を 使用収益する権利 を行使することができることとなった日をいう。

結論の背景

36. 第5項にいう「リース契約に基づくリース期間の中途において当該契約を解除することができないリース取引に準ずるリース取引」とは、法的形式上は 解約可能 であるとしても、解約に際し相当の 違約金 を支払わなければならない等の理由から、 事実上解約不能 と認められるリース取引をいう。

　　また、「借手が、当該契約に基づき使用する物件（リース物件）からもたらされる経済的利益を実質的に享受する」とは、当該リース物件を 自己所有 するとするならば得られると期待されるほとんどすべての 経済的利益 を享受することをいい、「当該リース物件の使用に伴って生じるコストを実質的に負担する」とは、当該リース物件の取得価額相当額、維持管理等の費用、陳腐化によるリスク等のほとんどすべての コスト を負担することをいう。

37. 本会計基準では、リース取引開始日において、ファイナンス・リース取引の借手であればリース資産及びリース債務、あるいは貸手であればリース債権又はリース投資資産を計上するものとしている（第10項及び第13項参照）。この「リース取引開始日」とは、借手が、リース物件を使用収益する権利を行使することができることとなった日をいうものとしている（第7項参照）。一般的には、当該リース物件に係る借受証に記載された借受日がそれに該当する場合が多いものと考えられる。

2　会計処理

重要度
★★★

(1)　ファイナンス・リース取引の分類

会計基準

8. ファイナンス・リース取引は、リース契約上の諸条件に照らしてリース物件の所有権が借手に移転すると認められるもの（以下「 所有権移転 ファイナンス・リース取引」という。）と、それ以外の取引（以下「 所有権移転外 ファイナンス・リース取引」という。）に分類する。

(2)　ファイナンス・リース取引の会計処理

会計基準

9. ファイナンス・リース取引については、通常の 売買取引に係る方法 に準じて会計処理を行う。

（借手側）

10. 借手は、 リース取引開始日 に、通常の 売買取引に係る方法 に準じた会計処理により、リース物件とこれに係る債務を リース資産 及び リース債務 として計上する。

11. リース資産及びリース債務の計上額を算定するにあたっては、原則として、リース契約締結時に合意された リース料総額 からこれに含まれている 利息相当額 の合理的な見積額を控除する方法による。当該利息相当額に

ついては、原則として、リース期間にわたり　利息法　により配分する。

12. 所有権移転ファイナンス・リース取引に係るリース資産の減価償却費は、　自己所有の固定資産　に適用する減価償却方法と同一の方法により算定する。また、所有権移転外ファイナンス・リース取引に係るリース資産の減価償却費は、原則として、　リース期間　を耐用年数とし、残存価額を　ゼロ　として算定する。

結論の背景

（基本的な考え方）

38. 改正前会計基準では、ファイナンス・リース取引について、原則として通常の　売買取引に係る方法　に準じて会計処理を行うこととしており、この基本的な考え方は本会計基準でも変更していない（第9項参照）。なお、ファイナンス・リース取引は、リース物件の取得と資金調達が一体として行われ、通常は利用期間と資金調達の期間が一致するため、通常の　売買取引　と類似性を有するものの、　まったく同じ会計処理　になるわけではない。また、ファイナンス・リース取引のうち所有権移転外ファイナンス・リース取引については、次の点で、所有権移転ファイナンス・リース取引と異なる性質を有する。

  (1) 経済的にはリース物件の売買及び融資と類似の性格を有する一方で、法的には賃貸借の性格を有し、また、　役務提供　が組み込まれる場合が多く、　複合的な性格　を有する。

  (2) リース物件の　耐用年数　と　リース期間　は異なる場合が多く、また、リース物件の　返還　が行われるため、　物件そのものの売買　というよりは、　使用する権利の売買　の性格を有する。

  (3) 借手が資産の使用に必要なコスト（リース物件の取得価額、金利相当額、維持管理費用相当額、役務提供相当額など）を、通常、契約期間にわたる　定額のキャッシュ・フロー　として確定する。

  　したがって、所有権移転ファイナンス・リース取引と所有権移転外ファイナンス・リース取引では、通常の　売買取引に係る方法　に準じた会計処理を具体的に適用するにあたり、リース資産の　減価償却費の算定　（第12項及び第39項参照）等で異なる点が生じる。

（借手におけるリース資産の償却）

39. 所有権移転ファイナンス・リース取引については、　リース物件の取得

46

と同様の取引と考えられるため、 | 自己所有の固定資産 | と同一の方法により減価償却費を算定することとした。

　一方、所有権移転外ファイナンス・リース取引については、 | リース物件の取得 | とは異なりリース物件を使用できる期間が | リース期間 | に限定されるという特徴があるため、原則として、リース資産の償却期間は | リース期間 | とし、残存価額は | ゼロ | としている（第12項参照）。また、償却方法については、次の観点から、企業の実態に応じ、 | 自己所有の固定資産 | と | 異なる | 償却方法を選択することができるものとした。

(1) 所有権移転外ファイナンス・リース取引は、前項に記載のとおり、 | リース物件の取得 | とは異なる性質も有すること

(2) 我が国では、これまで自己所有の固定資産について残存価額を10パーセントとして定率法の償却率を計算する方法が広く採用されてきており、所有権移転外ファイナンス・リース取引に、 | 自己所有の固定資産 | と | 同一 | の償却方法を適用することが | 困難 | であること

会計基準

（貸手側）

13. 貸手は、リース取引開始日に、通常の売買取引に係る方法に準じた会計処理により、所有権移転ファイナンス・リース取引については | リース債権 | として、所有権移転外ファイナンス・リース取引については | リース投資資産 | として計上する。

14. 貸手における利息相当額の総額は、リース契約締結時に合意されたリース料総額及び見積残存価額の合計額から、これに対応するリース資産の取得価額を控除することによって算定する。当該利息相当額については、原則として、リース期間にわたり利息法により配分する。

結論の背景

（貸手における会計処理）

40. 所有権移転ファイナンス・リース取引の場合は、貸手は、借手からのリース料と割安購入選択権の行使価額で回収するが、所有権移転外ファイナンス・リース取引の場合はリース料と見積残存価額の価値により回収を図る点で差異がある。この差異を踏まえ、所有権移転ファイナンス・リース取引で生じる資産は | リース債権 | に計上し、所有権移転外ファイナンス・リース取引で生じる資産は | リース投資資産 | に計上することとした。この場合の

リース投資資産は、将来のリース料を収受する権利と見積残存価額から構成される複合的な資産である。

41. リース債権は金融商品と考えられ、また、リース投資資産のうち将来のリース料を収受する権利に係る部分については、金融商品的な性格を有すると考えられる。したがって、これらについては、貸倒見積高の算定等などにおいて、企業会計基準第10号「金融商品に関する会計基準」の定めに従う。

(3) オペレーティング・リース取引の会計処理

会計基準

15. オペレーティング・リース取引については、通常の 賃貸借取引に係る方法 に準じて会計処理を行う。

3 開 示

重要度
★

会計基準

（借手側）

16. リース資産については、原則として、有形固定資産、無形固定資産の別に、一括して リース資産 として表示する。ただし、有形固定資産又は無形固定資産に属する各科目に含めることもできる。

17. リース債務については、貸借対照表日後1年以内に支払の期限が到来するものは 流動負債 に属するものとし、貸借対照表日後1年を超えて支払の期限が到来するものは 固定負債 に属するものとする。

結論の背景

（借手側）

42. ファイナンス・リース取引により生じたリース資産については、リース資産の合計額を表す観点や、実務上の過重負担の回避などを考慮し、有形固定資産、無形固定資産の別に、一括して リース資産 として表示することを原則とした（第16項参照）。ただし、有形固定資産又は無形固定資産に属す

る各科目に含めることも認めることとした。なお、例えば、所有権移転ファイナンス・リース取引には有形固定資産又は無形固定資産に属する各科目に含める方法を適用し、所有権移転外ファイナンス・リース取引には、有形固定資産、無形固定資産の別に一括してリース資産として表示する方法を適用することも認められる。

会計基準

（貸手側）

18. 所有権移転ファイナンス・リース取引におけるリース債権及び所有権移転外ファイナンス・リース取引におけるリース投資資産については、当該企業の主目的たる営業取引により発生したものである場合には　流動資産　に表示する。また、当該企業の営業の主目的以外の取引により発生したものである場合には、貸借対照表日の翌日から起算して1年以内に入金の期限が到来するものは　流動資産　に表示し、入金の期限が1年を超えて到来するものは　固定資産　に表示する。

結論の背景

（貸手側）

44. 貸手におけるリース債権及びリース投資資産については、一般的な流動固定の区分基準に従い、当該企業の営業の主目的で生じたものであるか否かにより、流動資産に表示するか、固定資産に表示するかを区分することとした（第18項参照）。

第**4**章　リース取引に関する会計基準

第5章

固定資産の減損に係る会計基準

平成14年8月9日

1　会計基準の整備の必要性
2　対象資産
3　減損損失の認識と測定
4　減損処理後の会計処理
5　財務諸表における開示

会計基準の整備の必要性 重要度 ★★★

　我が国においては、従来、固定資産の減損に関する処理基準が明確ではなかったが、不動産をはじめ固定資産の価格や収益性が 著しく低下 している昨今の状況において、それらの帳簿価額が価値を 過大に表示 したまま将来に 損失 を繰り延べているのではないかという疑念が示されている。また、このような状況が財務諸表への 社会的な信頼 を損ねているという指摘や、減損に関する処理基準が整備されていないために、 裁量的な固定資産の評価減 が行われるおそれがあるという見方もある。国際的にも、近年、固定資産の減損に係る会計基準の整備が進められており、会計基準の 国際的調和 を図るうえでも、減損処理に関する会計基準を整備すべきとの意見がある。

　このような状況を踏まえ、固定資産の減損について適正な会計処理を行うことにより、 投資者 に的確な情報を提供するとともに、会計基準の 国際的調和 を図るなどの観点から、固定資産の減損に係る会計基準を設定することが必要である。

三　基本的考え方

1. 事業用の固定資産については、通常、市場平均を超える 成果 を期待して事業に使われているため、市場の平均的な期待で決まる時価が変動しても、企業にとっての 投資の価値 がそれに応じて変動するわけではなく、また、 投資の価値 自体も、 投資の成果であるキャッシュ・フロー が得られるまでは 実現 したものではない。そのため、事業用の固定資産は 取得原価 から減価償却等を控除した金額で評価され、損益計算においては、そのような資産評価に基づく 実現利益 が計上されている。

　　しかし、事業用の固定資産であっても、その 収益性 が当初の予想よりも 低下 し、資産の 回収可能性 を 帳簿価額 に反映させなければならない場合がある。このような場合における固定資産の減損処理は、棚卸資産の評価減、固定資産の物理的な減失による 臨時損失 や耐用年数の短縮に伴う 臨時償却 などと同様に、事業用資産の 過大 な帳簿価額を 減額 し、将来に 損失 を繰り延べないために行われる会計処理と考えることが適当である。これは、金融商品に適用されている 時価評価 とは異

なり、 資産価値の変動 によって利益を測定することや、決算日における 資産価値 を貸借対照表に表示することを目的とするものではなく、 取得原価基準 の下で行われる帳簿価額の 臨時的な減額 である。

2. 固定資産の帳簿価額を臨時的に減額する会計処理の一つとして、臨時償却がある。臨時償却とは、減価償却計算に適用されている耐用年数又は残存価額が、予見することのできなかった原因等により著しく不合理となった場合に、耐用年数の短縮や残存価額の修正に基づいて一時に行われる減価償却累計額の修正であるが、資産の収益性の低下を帳簿価額に反映すること自体を目的とする会計処理ではないため、別途、減損処理に関する会計基準を設ける必要がある。

3. 固定資産の減損とは、資産の 収益性の低下 により 投資額の回収 が見込めなくなった状態であり、減損処理とは、そのような場合に、一定の条件の下で 回収可能性 を反映させるように帳簿価額を 減額 する会計処理である。

　減損処理は、本来、 投資期間全体 を通じた投資額の回収可能性を評価し、投資額の回収が見込めなくなった時点で、将来に 損失 を繰り延べないために帳簿価額を 減額 する会計処理と考えられるから、 期末 の帳簿価額を 将来 の回収可能性に照らして見直すだけでは、収益性の低下による 減損損失 を正しく認識することはできない。帳簿価額の回収が見込めない場合であっても、 過年度の回収額 を考慮すれば 投資期間全体 を通じて 投資額の回収 が見込める場合もあり、また、過年度の減価償却などを修正したときには、修正後の帳簿価額の回収が見込める場合もあり得るからである。

　なお、減価償却などを修正して帳簿価額を回収可能な水準まで減額させる過年度修正は、現在、修正年度の損益とされている。遡及修正が行われなければ、過年度修正による損失も、減損による損失も、認識された年度の損益とされる点では同じである。したがって、当面、この部分を減損損失と区分しなくても、現行の実務に大きな支障は生じない。そのため、本基準では、他の基準を適用しなければならないものを除いて、回収を見込めない帳簿価額を一纏めにして、減損の会計処理を適用することとした。

　将来、過年度修正に対して遡及修正が行われるようになった場合には、本基準において減損損失に含められているもののうち、減価償却の過年度修正に該当する部分については、減価償却の修正として処理される必要があると考えられる。また、この場合には、減価償却の修正前に減損損失を認識する

ことについて、再検討される必要がある。

2 対象資産

　本基準は、 固定資産 を対象に適用する。ただし、他の基準に 減損処理 に関する定めがある資産、例えば、「金融商品に係る会計基準」における 金融資産 や「税効果会計に係る会計基準」における 繰延税金資産 については、対象資産から除くこととする。(注1)

（注1）

　　本基準における用語の定義は、次のとおりである。

　1．回収可能価額とは、資産又は資産グループの 正味売却価額 と 使用価値 のいずれか 高い方 の金額をいう。

　2．正味売却価額とは、資産又は資産グループの 時価 から 処分費用見込額 を控除して算定される金額をいう。

　3．時価とは、 公正な評価額 をいう。通常、それは観察可能な 市場価格 をいい、市場価格が観察できない場合には 合理的に算定された価額 をいう。

　4．使用価値とは、資産又は資産グループの 継続的使用 と 使用後の処分 によって生ずると見込まれる 将来キャッシュ・フローの現在価値 をいう。

　5．共用資産とは、複数の資産又は資産グループの将来キャッシュ・フローの生成に寄与する資産をいい、のれんを除く。

意 見 書

　本基準は、 固定資産 に分類される資産を対象資産とするが、そのうち、他の基準に 減損処理 に関する定めがある資産、例えば、「金融商品に係る会計基準」における 金融資産 や「税効果会計に係る会計基準」における 繰延税金資産 については、対象資産から除くこととした。また、前払年金

費用についても、「退職給付に係る会計基準」において評価に関する定めがあるため、対象資産から除くこととする。

3 減損損失の認識と測定　重要度 ★★★

(1) 減損の兆候

会計基準

　資産又は資産グループ（6.(1)における最小の単位をいう。）に減損が生じている可能性を示す事象（以下「減損の兆候」という。）がある場合には、当該資産又は資産グループについて、減損損失を認識するかどうかの判定を行う。減損の兆候としては、例えば、次の事象が考えられる。

① 資産又は資産グループが使用されている営業活動から生ずる損益又はキャッシュ・フローが、継続してマイナスとなっているか、あるいは、継続してマイナスとなる見込みであること

② 資産又は資産グループが使用されている範囲又は方法について、当該資産又は資産グループの回収可能価額を著しく低下させる変化が生じたか、あるいは、生ずる見込みであること

③ 資産又は資産グループが使用されている事業に関連して、経営環境が著しく悪化したか、あるいは、悪化する見込みであること

④ 資産又は資産グループの市場価格が著しく下落したこと

意見書

　本基準では、資産又は資産グループ（(6)①における最小の単位をいう。）に減損が生じている可能性を示す事象（減損の兆候）がある場合に、当該資産又は資産グループについて、減損損失を認識するかどうかの判定を行うこととした。これは、対象資産すべてについてこのような判定を行うことが、実務上、過大な負担となるおそれがあることを考慮したためである。

　企業は、内部管理目的の損益報告や事業の再編等に関する経営計画などの企業内部の情報及び経営環境や資産の市場価格などの企業外部の要因に関する情

報に基づき、 減損の兆候 がある資産又は資産グループを識別することとなる。

(2) 減損損失の認識

会計基準

(1)　 減損の兆候 がある資産又は資産グループについての減損損失を 認識 するかどうかの判定は、資産又は資産グループから得られる 割引前将来キャッシュ・フローの総額 と 帳簿価額 を比較することによって行い、資産又は資産グループから得られる 割引前将来キャッシュ・フローの総額 が 帳簿価額 を 下回る 場合には、 減損損失 を認識する。

(2)　 減損損失 を認識するかどうかを判定するために割引前将来キャッシュ・フローを見積る期間は、資産の 経済的残存使用年数 又は資産グループ中の主要な資産の 経済的残存使用年数 と 20年 のいずれか 短い方 とする。(注3)(注4)

(注3)
　　主要な資産とは、資産グループの将来キャッシュ・フロー生成能力にとって最も重要な構成資産をいう。

(注4)
　　資産又は資産グループ中の主要な資産の経済的残存使用年数が20年を超える場合には、20年経過時点の回収可能価額を算定し、20年目までの割引前将来キャッシュ・フローに加算する。

意見書

①　減損損失の測定は、 将来キャッシュ・フロー の見積りに大きく依存する。 将来キャッシュ・フロー が約定されている場合の金融資産と異なり、成果の不確定な事業用資産の減損は、測定が 主観的 にならざるを得ない。その点を考慮すると、減損の存在が 相当程度に確実 な場合に限って減損損失を認識することが適当である。

　　本基準では、減損の兆候がある資産又は資産グループについて、これらが生み出す 割引前の将来キャッシュ・フローの総額 がこれらの 帳簿価額 を 下回る ときには、減損の存在が 相当程度に確実 であるとし、そのような場合には 減損損失 を認識することを求めている。この減損損

失を認識するかどうかの判定は、減価償却の見直しに先立って行う。

② 減損損失を認識するかどうかを判定するために見積られる割引前の将来キャッシュ・フローは、少なくとも土地については使用期間が無限になりうることから、その見積期間を制限する必要がある。また、一般に、長期間にわたる将来キャッシュ・フローの見積りは ┃不確実性┃ が高くなる。このため、┃減損損失┃ を認識するかどうかを判定するために ┃割引前将来キャッシュ・フロー┃ を見積る期間は、資産の ┃経済的残存使用年数┃ 又は資産グループ中の主要な資産（資産グループの将来キャッシュ・フロー生成能力にとって最も重要な構成資産をいう。）の ┃経済的残存使用年数┃ と ┃20年┃ のいずれか短い方とすることとした。

③ 資産又は資産グループ中の主要な資産の ┃経済的残存使用年数┃ が ┃20年┃ を超える場合には、21年目以降に見込まれる将来キャッシュ・フローに基づいて、20年経過時点の ┃回収可能価額┃ （(3)における回収可能価額をいう。）を算定し、20年目までの ┃割引前将来キャッシュ・フロー┃ に加算することになる。

　　また、資産グループ中の主要な資産以外の構成資産の ┃経済的残存使用年数┃ が、主要な資産の ┃経済的残存使用年数┃ を超える場合には、主要な資産の経済的残存使用年数経過以降に見込まれる将来キャッシュ・フローに基づいて、当該経済的残存使用年数経過時点の主要な資産以外の構成資産の ┃回収可能価額┃ を算定し、主要な資産の経済的残存使用年数経過時点までの ┃割引前将来キャッシュ・フロー┃ に加算することになる。

(3) 減損損失の測定

会計基準

┃減損損失┃ を認識すべきであると判定された ┃資産又は資産グループ┃ については、帳簿価額を ┃回収可能価額┃ まで減額し、当該減少額を ┃減損損失┃ として ┃当期の損失┃ とする。

意見書

　減損損失を認識すべきであると判定された資産又は資産グループについては、帳簿価額を ┃回収可能価額┃ まで減額し、当該減少額を ┃減損損失┃ として ┃当期の損失┃ とすることとした。

　この場合、企業は、資産又は資産グループに対する投資を ┃売却┃ と ┃使

用 のいずれかの手段によって回収するため、 売却 による回収額である 正味売却価額 （ 資産又は資産グループの時価 から 処分費用見込額 を控除して算定される金額）と、 使用 による回収額である 使用価値 （ 資産又は資産グループの継続的使用 と 使用後の処分 によって生ずると見込まれる 将来キャッシュ・フローの現在価値 ）のいずれか 高い方 の金額が固定資産の 回収可能価額 になる。

また、正味売却価額を算定する場合の時価とは、 公正な評価額 であり、通常、それは観察可能な 市場価格 をいうが、市場価格が観察できない場合には 合理的に算定された価額 がそれに該当することになる。

なお、減損損失は、固定資産売却損などと同様に、固定資産に関する臨時的な損失であるため、原則として、 特別損失 とすることとした。

(4) 将来キャッシュ・フロー

会計基準

(1) 減損損失を認識するかどうかの判定に際して見積られる将来キャッシュ・フロー及び使用価値の算定において見積られる将来キャッシュ・フローは、 企業に固有の事情 を反映した合理的で説明可能な仮定及び予測に基づいて見積る。

(2) 将来キャッシュ・フローの見積りに際しては、資産又は資産グループの現在の 使用状況 及び 合理的な使用計画等 を考慮する。

(3) 将来キャッシュ・フローの見積金額は、生起する 可能性の最も高い 単一の金額又は生起しうる複数の将来キャッシュ・フローをそれぞれの確率で 加重平均 した金額とする。(注6)

(4) 資産又は資産グループに関連して間接的に生ずる支出は、関連する資産又は資産グループに合理的な方法により配分し、当該資産又は資産グループの将来キャッシュ・フローの見積りに際し 控除 する。

(5) 将来キャッシュ・フローには、利息の支払額並びに 法人税等 の支払額及び還付額を含めない。

（注6）

将来キャッシュ・フローが見積値から乖離するリスクについては、 将来キャッシュ・フローの見積り と 割引率 の いずれか に反映させる。ただし、減損損失を認識するかどうかを判定する際に見積られる割引前将来キャッ

シュ・フローの算定においては、このリスクを反映させない。

意見書

① 　減損損失を認識するかどうかの判定及び使用価値の算定に際して、将来キャッシュ・フローを見積る必要がある。このような将来キャッシュ・フローは、資産又は資産グループの 時価 を算定するためではなく、企業にとって資産又は資産グループの帳簿価額が 回収可能 かどうかを判定するため、あるいは、企業にとって資産又は資産グループがどれだけの 経済的な価値 を有しているかを算定するために見積られることから、企業に固有の事情 を反映した 合理的で説明可能 な 仮定 及び 予測 に基づいて見積ることとした。

② 　将来キャッシュ・フローは、現時点における資産又は資産グループの回収可能性を反映すべきであることから、資産又は資産グループの現在の使用状況及び合理的な使用計画等を考慮して見積られる必要がある。したがって、計画されていない将来の設備の増強や事業の再編の結果として生ずる将来キャッシュ・フローは、見積りに含めないこととした。また、将来の用途が定まっていない遊休資産については、現在の状況に基づき将来キャッシュ・フローを見積ることになる。

　　一方、資産又は資産グループの現在の価値を維持するための合理的な設備投資については、それに関連する将来キャッシュ・フローを将来キャッシュ・フローの見積りに含めることになると考えられる。

③ 　将来キャッシュ・フローの見積りの方法には、生起する 可能性の最も高い 単一の金額を見積る方法と、生起し得る複数の将来キャッシュ・フローをそれぞれの確率で 加重平均 した金額（ 期待値 ）を見積る方法がある。これらのうち、企業の計画等に基づいて単一の金額を見積る前者の方法が一般的であると考えられるが、企業が固定資産の使用や処分に関して、いくつかの選択肢を検討している場合や、生じ得る将来キャッシュ・フローの幅を考慮する必要がある場合には、期待値を用いる後者の方法も有用であると考えられるため、いずれの方法も適用できることとした。

④ 　使用価値の算定においては、将来キャッシュ・フローがその見積値から乖離する リスク について、将来キャッシュ・フローの見積り に反映させる方法と 割引率 に反映させる方法のいずれの方法も認めることとした。他方、減損損失を認識するかどうかを判定する際に用いる割引前将来キャッシュ・フローの算定においては、将来キャッシュ・フローがその見積

値から乖離するリスクを将来キャッシュ・フローに反映させるか否かで異なる結果が導かれることになるため、 リスク を反映させない方法で統一した。

⑤ 資産又は資産グループの将来キャッシュ・フローを見積るためには、当該資産又は資産グループが将来キャッシュ・フローを生み出すために必要な本社費等の間接的な支出も考慮する必要がある。したがって、資産又は資産グループに関連して間接的に生ずる支出は、関連する資産又は資産グループに合理的な方法により配分し、当該資産又は資産グループの将来キャッシュ・フローの見積りに際し控除することとした。

⑥ 利息の支払額並びに法人税等の支払額及び還付額については、通常、固定資産の 使用 又は 処分 から直接的に生ずる項目ではないことから、将来キャッシュ・フローの見積りには含めないこととした。

(5) 使用価値の算定に際して用いられる割引率

会計基準

使用価値の算定に際して用いられる割引率は、 貨幣の時間価値 を反映した税引前の利率とする。

資産又は資産グループに係る将来キャッシュ・フローがその見積値から乖離するリスクが、将来キャッシュ・フローの見積りに反映されていない場合には、 割引率 に反映させる。(注6)

意見書

資産又は資産グループの使用価値の算定に際しては、将来キャッシュ・フローがその見積値から乖離する リスク を反映させる必要がある。その方法としては、 将来キャッシュ・フローの見積り に反映させる方法と、 割引率 に反映させる方法がある。前者を採用した場合には、割引率は 貨幣の時間価値 だけを反映した 無リスク の割引率となり、後者を採用した場合には、割引率は 貨幣の時間価値 と将来キャッシュ・フローがその見積値から乖離する リスク の両方を反映したものとなる。

また、将来キャッシュ・フローが税引前の数値であることに対応して、割引率も 税引前 の数値を用いる必要がある。

(6)　資産のグルーピング

会計基準

⑴　**資産のグルーピングの方法**

　　減損損失を認識するかどうかの判定と減損損失の測定において行われる資産のグルーピングは、他の資産又は資産グループの キャッシュ・フロー から 概ね独立 した キャッシュ・フロー を生み出す 最小の単位 で行う。

⑵　**資産グループについて認識された減損損失の配分**

　　資産グループについて認識された減損損失は、帳簿価額 に基づく 比例配分 等の合理的な方法により、当該資産グループの各構成資産に配分する。

意 見 書

①　**資産のグルーピングの方法**

　　複数の資産が一体となって独立したキャッシュ・フローを生み出す場合には、減損損失を認識するかどうかの判定及び減損損失の測定に際して、合理的な範囲で資産のグルーピングを行う必要がある。

　　そこで、資産のグルーピングに際しては、他の資産又は資産グループの キャッシュ・フロー から 概ね独立 した キャッシュ・フロー を生み出す 最小の単位 で行うこととした。実務的には、管理会計上の区分や投資の意思決定（資産の処分や事業の廃止に関する意思決定を含む。）を行う際の単位等を考慮してグルーピングの方法を定めることになると考えられる。

　　なお、連結財務諸表は、企業集団に属する親会社及び子会社が作成した個別財務諸表を基礎として作成されるが、連結財務諸表においては、連結の見地から資産のグルーピングの単位が見直される場合がある。

②　**資産グループについて認識された減損損失の配分**

　　資産グループについて認識された減損損失は、当該資産グループの各構成資産に配分する。その方法としては、帳簿価額 に基づいて各構成資産に 比例配分 する方法が考えられるが、各構成資産の時価を考慮した配分等他の方法が合理的であると認められる場合には、当該方法によることができることとした。

4 減損処理後の会計処理　重要度 ★★

(1) 減価償却

会計基準

　減損処理を行った資産については、 減損損失 を控除した 帳簿価額 に基づき減価償却を行う。

意見書

　減損処理を行った資産についても、減損処理後の 帳簿価額 をその後の事業年度にわたって適正に原価配分するため、毎期 計画的 、 規則的 に減価償却を実施することとなる。

(2) 減損損失の戻入れ

会計基準

　減損損失の 戻入れ は、行わない。

意見書

　減損処理は回収可能価額の見積りに基づいて行われるため、その見積りに変更があり、変更された見積りによれば減損損失が減額される場合には、減損損失の戻入れを行う必要があるという考え方がある。しかし、本基準においては、減損の存在が 相当程度確実 な場合に限って減損損失を認識及び測定することとしていること、また、戻入れは 事務的負担 を増大させるおそれがあることなどから、減損損失の 戻入れ は行わないこととした。

5 財務諸表における開示

重要度
★

(1) 貸借対照表における表示

会計基準

　減損処理を行った資産の貸借対照表における表示は、原則として、減損処理前の 取得原価 から減損損失を 直接控除 し、控除後の金額をその後の 取得原価 とする形式で行う。ただし、当該資産に対する 減損損失累計額 を、取得原価から 間接控除 する形式で表示することもできる。この場合、 減損損失累計額 を 減価償却累計額 に合算して表示することができる。

(2) 損益計算書における表示

会計基準

　減損損失は、原則として、 特別損失 とする。

第5章 固定資産の減損に係る会計基準

第6章

棚卸資産の評価に
関する会計基準

最終改正　2019年7月4日
（2020年3月31日修正）

会計基準

3．本会計基準は、すべての企業における棚卸資産の評価方法、評価基準及び開示について適用する。棚卸資産は、 商品 、 製品 、 半製品 、 原材料 、 仕掛品 等の資産であり、企業がその 営業目的 を達成するために所有し、かつ、 売却 を予定する資産のほか、 売却 を予定しない資産であっても、 販売活動及び一般管理活動 において 短期間 に 消費 される事務用消耗品等も含まれる。

　　なお、売却には、 通常の販売 のほか、活発な市場が存在することを前提として、棚卸資産の保有者が単に市場価格の変動により利益を得ることを目的とする トレーディング を含む。

結論の背景

28．これまで、棚卸資産の範囲は、原則として、連続意見書第四に定める次の4項目のいずれかに該当する財貨又は用役であるとされている。

⑴　通常の営業過程において 販売 するために保有する財貨又は用役

⑵　 販売 を目的として現に 製造中 の財貨又は用役

⑶　 販売 目的の財貨又は用役を 生産 するために短期間に 消費 されるべき財貨

⑷　 販売活動及び一般管理活動 において短期間に 消費 されるべき財貨

29．連続意見書第四では、前項⑷のように、棚卸資産には、事務用消耗品等の販売活動及び一般管理活動において短期間に消費されるべき財貨も含まれるとしている点で、国際的な会計基準と必ずしも同じではないといわれている。このような財貨は、製造用以外のものであっても、短期的に消費される点や実務上の便宜が考慮され、棚卸資産に含められているが、一般に重要性が乏しいと考えられる。

30．このため本会計基準では、棚卸資産の範囲に関しては、連続意見書第四の考え方及びこれまでの取扱いを踏襲し、企業がその 営業目的 を達成するために所有し、かつ、 売却 を予定する資産のほか、従来から棚卸資産に

含められてきた販売活動及び一般管理活動において短期間に `消費` される事務用消耗品等も棚卸資産に含めている（第3項参照）。このように、本会計基準では、棚卸資産の範囲を従来と変えることなく、その評価基準を取り扱っている。

31.　棚卸資産には、未成工事支出金等、注文生産や請負作業についての仕掛中のものも含まれる。なお、工事契約及び受注制作のソフトウェアに係る収益に関する施工者の会計処理及び開示については、2020年に改正した企業会計基準第29号「収益認識に関する会計基準」において定めている。

2　用語の定義

重要度 ★★

会計基準

4.　「時価」とは、`公正な評価額` をいい、`市場価格に基づく価額` をいう。市場価格が観察できない場合には `合理的に算定された価額` を公正な評価額とする。

5.　「正味売却価額」とは、`売価`（購買市場と売却市場とが区別される場合における売却市場の時価）から `見積追加製造原価` 及び `見積販売直接経費` を控除したものをいう。なお、「購買市場」とは当該資産を `購入` する場合に企業が参加する市場をいい、「売却市場」とは当該資産を `売却` する場合に企業が参加する市場をいう。

6.　「再調達原価」とは、購買市場と売却市場とが区別される場合における `購買市場の時価` に、購入に `付随する費用` を加算したものをいう。

結論の背景

33.　本会計基準では、連続意見書第四で用いられていた正味実現可能価額という用語に代えて、「正味売却価額」という用語を用いている（第5項参照）。これは、実現可能という用語は不明確であるという意見があることや、「固定資産の減損に係る会計基準」（以下「減損会計基準」という。）において正味売却価額を用いていることとの整合性に配慮したものであるが、これらの意味するところに相違はない。

第6章　棚卸資産の評価に関する会計基準

34. 売価とは、 売却市場 における 市場価格 に基づく価額であり、この
   ような 市場価格 が存在しないときには、 合理的に算定された価額 を
   いう。棚卸資産の種類により種々の取引形態があるが、ここでいう取引形態
   には、取引参加者が少なく、当該企業のみが売手となるような相対取引しか
   行われない場合までも含む。そのため、 合理的に算定された価額 には、
   観察可能でなくとも売手が実際に 販売 できると合理的に見込まれる程度
   の価格を含むことに留意する必要がある。

3 会計処理　重要度 ★★★

(1) 棚卸資産の評価方法

会計基準

6－2．棚卸資産については、原則として 購入代価 又は 製造原価 に引
   取費用等の 付随費用 を加算して取得原価とし、次の評価方法の中から選
   択した方法を適用して売上原価等の払出原価と期末棚卸資産の価額を算定す
   るものとする。
   (1) 個別法
      取得原価の異なる棚卸資産を区別して記録し、その個々の 実際原価
      によって期末棚卸資産の価額を算定する方法
      個別法は、 個別性 が強い棚卸資産の評価に適した方法である。
   (2) 先入先出法
      最も古く取得 されたものから順次払出しが行われ、期末棚卸資産は
      最も新しく取得 されたものからなると みなして 期末棚卸資産の価
      額を算定する方法
   (3) 平均原価法
      取得した棚卸資産の 平均原価 を算出し、この 平均原価 によって
      期末棚卸資産の価額を算定する方法
      なお、平均原価は、 総平均法 又は 移動平均法 によって算出する。
   (4) 売価還元法
      値入率 等の類似性に基づく棚卸資産のグループごとの期末の 売価

合計額 に、 原価率 を乗じて求めた金額を期末棚卸資産の価額とする方法

　売価還元法は、 取扱品種 の極めて多い小売業等の業種における棚卸資産の評価に適用される。

6-3.棚卸資産の評価方法は、事業の種類、棚卸資産の種類、その性質及びその使用方法等を考慮した区分ごとに選択し、継続して適用しなければならない。

結論の背景

（後入先出法の特徴）

34-5.後入先出法は、 最も新しく取得 されたものから棚卸資産の払出しが行われ、期末棚卸資産は 最も古く取得 されたものからなるとみなして、期末棚卸資産の価額を算定する方法であり、棚卸資産を払い出した時の価格水準に最も近いと考えられる価額で収益と費用を 対応 させることができる方法である。当期の収益に対しては、これと 同一の価格水準 の費用を計上すべきであるという考え方によれば、棚卸資産の価格水準の変動時には、後入先出法を用いる方が、他の評価方法に比べ、棚卸資産の購入から販売までの保有期間における市況の変動により生じる 保有損益 を期間損益から排除することによって、より 適切な期間損益の計算 に資すると考えられてきた。実際に、我が国において、後入先出法は、主として原材料の仕入価格が市況の変動による影響を受け、この仕入価格の変動と製品の販売価格の関連性が強い業種に多く選択される傾向にあった。

34-6.一方で、後入先出法は、棚卸資産が過去に購入した時からの価格変動を反映しない金額で貸借対照表に繰り越され続けるため、その貸借対照表価額が最近の 再調達原価 の水準と大幅に乖離してしまう可能性があるとされている。後入先出法以外の評価方法を採用した場合、棚卸資産の受払いによって棚卸資産の貸借対照表価額が 市況の変動 を何らかの形で反映するのに対し、後入先出法を採用した場合には、棚卸資産の受払いが生じているにもかかわらず、 市況の変動 を長期間にわたって反映しない可能性がある。

34-7.また、棚卸資産の 期末の数量 が 期首の数量 を 下回る 場合には、期間損益計算から排除されてきた 保有損益 が当期の損益に計上され、その結果、期間損益が変動することとなる。この点については、企業が棚卸資産の 購入量 を調整することによって、当該 保有損益 を意図的

に当期の損益に計上することもできるという指摘がある。

　なお、平成18年会計基準により、期末における正味売却価額が取得原価よりも下落している場合には、当該正味売却価額をもって貸借対照表価額とされ、取得原価と当該正味売却価額との差額は当期の費用として処理されることとなり（第7項参照）、 保有利益 のみが長期間繰り延べられることとなったため、期首の棚卸資産が払い出された場合、累積した過年度の 保有利益 だけがまとめて計上されることとなる。

34-8.　IAS第2号では、平成15年（2003年）の改正にあたって、第34-6項及び第34-7項のような理由に加え、後入先出法は、一般的に、棚卸資産の 実際の流れ を忠実に表現しているとはいえないことから、それまで選択可能な処理方法として認めていた後入先出法の採用を認めないこととしている。

（後入先出法の見直し）

34-9.　市況が短期的には上昇や下降を繰り返すものの、中長期的には平均的な水準で推移するような場合であれば、後入先出法とそれ以外の評価方法との間には、その結果に大きな違いはない。一方、市況が長期的に上昇する場合には、後入先出法を採用し、期間損益計算から棚卸資産の 保有利益 を排除することによって、 適切な期間損益の計算 に資すると考えられてきた（第34-5項参照）。

　しかしながら、この点については、後入先出法を採用することによって、特定の時点で計上されることになる 利益 を単に 繰り延べている に過ぎないのではないかという見方がある。先入先出法や平均原価法を採用しても 保有利益 の繰延べは生じるが、後入先出法との比較において、その問題は小さいと考えられる。また、第34-7項で示されたように、後入先出法を採用することにより、棚卸資産の 期末の数量 が 期首の数量 を下回る場合には、累積した 保有利益 が計上されることとなる。

　さらに、後入先出法を採用している上場企業は少ない上に、近年、その採用企業数は減少してきている。

34-10.　審議の過程において、我が国では法令等で在庫の備蓄義務が課されている場合があり、こうした場合におけるいわゆる備蓄在庫の保有損益については当期の損益に含めるべきではないため、後入先出法の採用を引き続き認めることが適当であるという指摘があった。しかし、この指摘が、備蓄在庫についてその性質や実態に即した払出計算をすべきであるという考え方によるものであれば、備蓄在庫を通常の在庫と区分して、会計上、別の種類の棚

卸資産として評価方法をそれぞれ適用することも考えられるという意見も
あった。ただし、この意見については、法令等で備蓄義務が課されている場
合においても備蓄在庫が物理的に区分されているわけではないため、これら
を区分する会計処理は適当ではないという指摘もあった。

34-11.　また、米国の実務も参考に、第34-6項及び第34-7項で指摘されて
いる事項を補うための一定の事項を注記することとすれば、後入先出法を棚
卸資産の評価方法として引き続き採用することに問題はないのではないかと
いう意見もあった。

34-12.　後入先出法の採用を引き続き認める必要があるか否かについて、当委
員会の検討の過程では、第34-9項から第34-11項のように、いずれの取扱
いについても、それぞれを支持する考え方や意見があった。検討の結果、後
入先出法は、先入先出法や平均原価法と同様、棚卸資産の規則的な払出しの
仮定に基づく評価方法として 有用性 があり、この採用を引き続き認める
べきではないかという意見もあるものの、当委員会は、近年IASBがIAS第
2号の改正にあたって後入先出法の採用を認めないこととしたこと（第34-
8項参照）を重視し、会計基準の国際的な コンバージェンス を図るため、
本会計基準においては、選択できる評価方法から後入先出法を削除すること
とした。

(2)　通常の販売目的で保有する棚卸資産の評価基準

会計基準

7.　通常の販売目的（販売するための製造目的を含む。）で保有する棚卸資産
は、 取得原価 をもって貸借対照表価額とし、期末における 正味売却価
額 が 取得原価 よりも下落している場合には、当該 正味売却価額 を
もって貸借対照表価額とする。この場合において、取得原価と当該正味売却
価額との差額は 当期の費用 として処理する。

8.　売却市場において 市場価格 が観察できないときには、 合理的に算定
された価額 を売価とする。これには、期末前後での 販売実績 に基づく
価額を用いる場合や、 契約 により取り決められた一定の 売価 を用い
る場合を含む。

9.　営業循環過程から外れた滞留又は処分見込等の棚卸資産について、 合理
的に算定された価額 によることが困難な場合には、 正味売却価額 まで
切り下げる方法に代えて、その状況に応じ、次のような方法により収益性の

低下の事実を適切に反映するよう処理する。

(1) 帳簿価額を 処分見込価額 （ゼロ又は備忘価額を含む。）まで切り下げる方法

(2) 一定の 回転期間 を超える場合、 規則的 に帳簿価額を切り下げる方法

10. 製造業における原材料等のように 再調達原価 の方が把握しやすく、 正味売却価額 が当該 再調達原価 に歩調を合わせて動くと想定される場合には、継続して適用することを条件として、 再調達原価 （最終仕入原価を含む。以下同じ。）によることができる。

11. 企業が 複数の売却市場 に参加し得る場合には、実際に 販売 できると見込まれる 売価 を用いる。また、 複数の売却市場 が存在し 売価 が異なる場合であって、棚卸資産をそれぞれの市場向けに 区分 できないときには、それぞれの 市場の販売比率 に基づいた 加重平均売価 等による。

12. 収益性の低下の有無に係る判断及び簿価切下げは、原則として 個別品目 ごとに行う。ただし、 複数の棚卸資産 を一括りとした単位で行うことが適切と判断されるときには、 継続 して適用することを条件として、その方法による。

13. （略）

14. 前期に計上した簿価切下額の戻入れに関しては、当期に戻入れを行う方法（洗替え法）と行わない方法（切放し法）のいずれかの方法を棚卸資産の種類ごとに選択適用できる。また、売価の下落要因を区分把握できる場合には、 物理的劣化 や 経済的劣化 、若しくは 市場の需給変化 の要因ごとに選択適用できる。この場合、いったん採用した方法は、原則として、継続して適用しなければならない。

結論の背景

（これまでの取扱い）

35. 我が国において、これまで棚卸資産の評価基準が原則として原価法とされてきたのは、棚卸資産の原価を 当期の実現収益 に 対応 させることにより、 適正な期間損益計算 を行うことができると考えられてきたためといわれている。すなわち、当期の損益が、期末時価の変動、又は将来の販売時点に確定する損益によって歪められてはならないという考えから、 原価法 が原則的な方法であり、 低価法 は例外的な方法と位置付けられてき

た。

（棚卸資産の簿価切下げの考え方）

36. これまでの 低価法 を原価法に対する 例外 と位置付ける考え方は、取得原価基準の本質を、 名目上の取得原価 で据え置くことにあるという理解に基づいたものと思われる。しかし、取得原価基準は、将来の収益を生み出すという意味においての 有用な原価 、すなわち 回収可能な原価 だけを繰り越そうとする考え方であるとみることもできる。また、今日では、例えば、金融商品会計基準や減損会計基準において、 収益性が低下 した場合には、 回収可能な額 まで帳簿価額を切り下げる会計処理が広く行われている。

　　そのため、棚卸資産についても 収益性の低下 により 投資額の回収 が見込めなくなった場合には、品質低下や陳腐化が生じた場合に限らず、帳簿価額を切り下げることが考えられる。収益性が低下した場合における簿価切下げは、 取得原価基準 の下で 回収可能性 を反映させるように、 過大 な帳簿価額を 減額 し、将来に 損失 を繰り延べないために行われる会計処理である。棚卸資産の 収益性 が当初の予想よりも 低下 した場合において、回収可能な額まで帳簿価額を切り下げることにより、 財務諸表利用者 に的確な情報を提供することができるものと考えられる。

37. それぞれの資産の会計処理は、基本的に、 投資の性質 に対応して定められていると考えられることから、収益性の低下の有無についても、投資が回収される形態に応じて判断することが考えられる。棚卸資産の場合には、固定資産のように 使用 を通じて、また、債権のように 契約 を通じて投下資金の回収を図ることは想定されておらず、通常、 販売 によってのみ 資金の回収 を図る点に特徴がある。このような投資の回収形態の特徴を踏まえると、評価時点における 資金回収額 を示す棚卸資産の 正味売却価額 が、その帳簿価額を 下回っている ときには、 収益性が低下 していると考え、帳簿価額の切下げを行うことが適当である。

（品質低下又は陳腐化に起因する簿価切下げとそれ以外に起因する簿価切下げ）

38. 品質低下や陳腐化による評価損と低価法評価損との間には、その 発生原因 等の相違が存在するといわれてきた。

	品質低下評価損	陳腐化評価損	低価法評価損
①発生原因	物理的な劣化	経済的な劣化（商品ライフサイクルの変化）	市場の需給変化
②棚卸資産の状態	欠陥		正常
③売価の回復可能性	なし		あり

39. これまでは、低価法 を例外的処理と位置付けてきたことと相俟って、品質低下・陳腐化評価損と低価法評価損の間には、その取扱いに明確な 差異 がみられた。しかし、発生原因 は相違するものの、正味売却価額 が下落することにより 収益性 が低下しているという点からみれば、会計処理上、それぞれの区分に 相違 を設ける意義は乏しいと考えられる。また、特に 経済的な劣化 による収益性の低下と、市場の需給変化 に基づく正味売却価額の下落による収益性の低下は、実務上、必ずしも明確に 区分 できないという指摘も多い。以上により、本会計基準では、これらを 収益性の低下 の観点からは 相違 がないものとして取り扱うこととしている。

（正味売却価額の考え方）

40. 前述したように本会計基準では、棚卸資産の場合、販売により投下資金の回収を図るため、正味売却価額が帳簿価額よりも低下しているときには、収益性が低下しているとみて、帳簿価額を正味売却価額まで切り下げること（第37項参照）が他の会計基準における考え方とも整合的であると考えている。

41. 棚卸資産への投資は、将来販売時 の売価を想定して行われ、その 期待 が 事実 となり、成果 として 確定 した段階において、投資額は売上原価に配分される。このように最終的な投資の成果の確定は 将来の販売時点 であることから、収益性の低下に基づく簿価切下げの判断に際しても、期末において見込まれる 将来販売時点 の売価に基づく 正味売却価額 によることが適当と考えられる。

42. なお、期末の正味売却価額という場合でも、一般的に、販売までに要する期間があることから、それは期末における 将来販売時点 での 正味売却価額 を指すことも多い。例えば、契約 により取り決められた一定の

74

売価 （第8項参照）や、仕掛品における 加工後 の 販売見込額 に基づく 正味売却価額 などが該当する。もっとも、将来販売時点の売価を用いるとしても、その入手や合理的な見積りは困難な場合が多いことから、 合理的に算定された価額 として、 期末前後 での 販売実績 に基づく価額も用いられる（第8項参照）。このため本会計基準では、いずれも含まれるように、期末における 正味売却価額 が 取得原価 よりも下落している場合には、当該 正味売却価額 をもって貸借対照表価額とするものとした（第7項参照）。

(3) トレーディング目的で保有する棚卸資産の評価基準

会計基準

15. トレーディング目的で保有する棚卸資産については、 時価 をもって貸借対照表価額とし、帳簿価額との差額（評価差額）は、 当期の損益 として処理する。

16. トレーディング目的で保有する棚卸資産として分類するための留意点や保有目的の変更の処理は、企業会計基準第10号「金融商品に関する会計基準」（以下「金融商品会計基準」という。）における 売買目的有価証券 に関する取扱いに準じる。

結論の背景

60. 当初から加工や販売の努力を行うことなく単に 市場価格の変動 により利益を得るトレーディング目的で保有する棚卸資産については、投資者にとっての 有用な情報 は棚卸資産の期末時点の 市場価格 に求められると考えられることから、 時価 をもって貸借対照表価額とすることとした（第15項参照）。その場合、活発な取引が行われるよう整備された、購買市場と販売市場とが区別されていない 単一の市場 （例えば、金の取引市場）の存在が前提となる。また、そうした市場でトレーディングを目的に保有する棚卸資産は、売買・換金に対して 事業遂行上等の制約 がなく、市場価格の変動にあたる評価差額が企業にとっての 投資活動の成果 と考えられることから、その評価差額は 当期の損益 として処理することが適当と考えられる。

61. トレーディング目的で保有する棚卸資産に係る会計処理は、 売買目的有価証券 の会計処理と同様であるため、その具体的な適用は、 金融商品会

計基準 に準ずることとしている（第16項参照）。したがって、金融商品会計基準のほか、その具体的な指針等も参照する必要がある。

4 開 示

重要度
★★

(1) 通常の販売目的で保有する棚卸資産の収益性の低下に係る損益の表示

会計基準

17. 通常の販売目的で保有する棚卸資産について、収益性の低下による簿価切下額（前期に計上した簿価切下額を戻し入れる場合には、当該戻入額相殺後の額）は 売上原価 とするが、棚卸資産の 製造に関連し不可避的に発生 すると認められるときには 製造原価 として処理する。また、収益性の低下に基づく簿価切下額が、 臨時の事象 に起因し、かつ、 多額 であるときには、 特別損失 に計上する。臨時の事象とは、例えば次のような事象をいう。なお、この場合には、洗替え法を適用していても（第14項参照）、当該簿価切下額の 戻入れ を行ってはならない。
   (1) 重要な事業部門の廃止
   (2) 災害損失の発生

結論の背景

62. 企業が通常の販売目的で保有する棚卸資産について、収益性が低下した場合の簿価切下額は、 販売活動 を行う上で 不可避的 に発生したものであるため、売上高に対応する 売上原価 として扱うことが適当と考えられる。

   ただし、収益性が低下した場合において、原材料等に係る簿価切下額のうち、例えば品質低下に起因する簿価切下額など 製造に関連し不可避的に発生 すると認められるものについては、 製造原価 として処理することとなる（第17項参照）。なお、そのような場合であっても、当該簿価切下額の重要性が乏しいときには、売上原価へ一括計上することができるものと考えられる。

(2)　トレーディング目的で保有する棚卸資産に係る損益の表示

会計基準

19.　トレーディング目的で保有する棚卸資産に係る損益は、原則として、純額 で 売上高 に表示する。

第7章

繰延資産の会計処理に関する当面の取扱い

改正　平成22年 2 月19日

（2020年 3 月31日修正）

1 目 的

重要度
★

会計基準

　将来の期間に影響する特定の費用は、次期以後の期間に配分して処理するため、経過的に ⬚繰延資産 として、⬚資産の部 に記載することができる（企業会計原則第三 一 D及び同注解（注15））とされている。また、繰延資産として計上することができる項目は旧商法施行規則において列挙され、その具体的な会計処理についても、実務上、同規則に従って取り扱われてきた。

　こうした中、平成18年5月1日に施行された会社計算規則（以下「計算規則」という。）では、繰延資産として計上することができる項目（繰延資産に属する項目）については、⬚繰延資産 として計上することが適当であると認められるものと規定されている（計算規則第74条第3項第5号）だけである。また、その償却方法についても、償却すべき資産については、事業年度の末日において、⬚相当の償却 をしなければならない（計算規則第5条第2項）とされているだけで、具体的な償却方法や償却期間の定めはない。この点について、計算規則では、その用語の解釈及び規定の適用に関しては、一般に公正妥当と認められる企業会計の基準その他の企業会計の慣行を ⬚しん酌 しなければならない（計算規則第3条）とされている。

　本実務対応報告では、計算規則におけるこれらの規定への対応として、これまで行われてきた会計処理を踏まえ、当面必要と考えられる実務上の取扱いを明らかにすることとした。（以下省略）

2 繰延資産の会計処理の見直しに関する考え方

重要度
★

会計基準

　当委員会では、これまで行われてきた繰延資産の会計処理を踏まえ、以下の考え方に基づき、必要な範囲内で見直しを行うこととした。

(1)　繰延資産の考え方については、企業会計原則注解（注15）に示されている考え方（ すでに代価の支払が完了 し又は 支払義務が確定 し、これに対応する 役務の提供を受けた にもかかわらず、その 効果が将来にわたって発現 するものと期待される費用）を踏襲する。

(2)　検討対象とする繰延資産の項目は、原則として、旧商法施行規則で限定列挙されていた項目（ただし、会社法において廃止された建設利息を除く。）とする。これは、「繰延資産の部に計上した額」が剰余金の 分配可能額 から控除される（計算規則第158条第1号）ことなどを考慮したものである。

　　この結果、本実務対応報告では、以下の項目を繰延資産として取り扱っている。

①　 株式交付費

②　 社債発行費 等（ 新株予約権 の発行に係る費用を含む。）

③　 創立費

④　 開業費

⑤　 開発費

　　なお、これまで繰延資産とされていた社債発行差金に相当する額については、平成18年8月11日に公表された企業会計基準第10号「金融商品に関する会計基準」（以下「金融商品会計基準」という。）において会計処理（社債金額から直接控除する方法）を定めており、本実務対応報告では、経過措置に関する事項を除き、取り扱わない。

(3)　これまでの繰延資産の会計処理、特に繰延資産の償却期間については、それを変更すべき合理的な理由がない限り、これまでの取扱いを踏襲する。

第7章　繰延資産の会計処理に関する当面の取扱い

3 会計処理

重要度 ★★

(1) 株式交付費の会計処理

会計基準

株式交付費（ 新株の発行 又は 自己株式の処分 に係る費用）は、原則
として、 支出時に費用 （ 営業外費用 ）として処理する。ただし、 企業規
模の拡大 のためにする 資金調達 などの 財務活動 （組織再編の対価と
して株式を交付する場合を含む。）に係る株式交付費については、 繰延資産
に計上することができる。この場合には、 株式交付 のときから 3年以内
のその効果の及ぶ期間にわたって、 定額法 により償却をしなければならな
い。

株式交付費とは、株式募集のための広告費、金融機関の取扱手数料、証券会
社の取扱手数料、目論見書・株券等の印刷費、変更登記の登録免許税、その他
株式の交付等のために直接支出した費用をいう。

なお、繰延資産に該当する株式交付費は、繰延資産の性格から、 企業規模
の拡大 のためにする 資金調達 などの 財務活動 に係る費用を前提とし
ているため、 株式の分割 や 株式無償割当て などに係る費用は、繰延資
産には該当せず、 支出時に費用 として処理することになる。また、この場
合には、これらの費用を 販売費及び一般管理費 に計上することができる。

（会計処理の考え方）

現行の国際的な会計基準では、株式交付費は、 資本取引 に付随する費用
として、 資本から直接控除 することとされている。当委員会においては、
国際的な会計基準との整合性の観点から、当該方法についても検討した。しか
しながら、以下の理由により、当面、これまでの会計処理を踏襲し、株式交付
費は 費用 として処理（ 繰延資産 に計上し 償却 する処理を含む。）す
ることとした。

① 株式交付費は 株主との資本取引 に伴って発生するものであるが、その
対価は 株主に支払われるものではない こと

② 株式交付費は 社債発行費 と同様、 資金調達 を行うために要する支

82

出額であり、 財務費用 としての性格が強いと考えられること

③　資金調達の方法は会社の意思決定によるものであり、その結果として発生する費用もこれに依存することになる。したがって、資金調達に要する費用を 会社の業績 に反映させることが投資家に 有用な情報 を提供することになると考えられること

また、本実務対応報告では、新株の発行と自己株式の処分に係る費用を合わせて株式交付費とし、自己株式の処分に係る費用についても繰延資産に計上できることとした。自己株式の処分に係る費用は、旧商法施行規則において限定列挙されていた 新株発行費 には該当しないため、これまで 繰延資産 として会計処理することはできないと解されてきた。しかしながら、会社法においては、新株の発行と自己株式の処分の募集手続は募集株式の発行等として 同一の手続 によることとされ、また、 株式の交付 を伴う 資金調達 などの 財務活動 に要する費用としての性格は同じであることから、新株の発行に係る費用の会計処理と整合的に取り扱うことが適当と考えられる。

なお、繰延資産に計上した株式交付費（新株発行費）の償却については、旧商法施行規則において毎決算期に均等額以上の償却をしなければならないとされてきたため、これまでは年数を基準として償却することが一般的であったと考えられる。しかしながら、会社法ではそのような制約はないこと、また、今後、上場会社においては四半期報告が求められることから、繰延資産の計上月にかかわらず、一律に年数を基準として償却を行うことは適当ではないと考えられる。この考え方は、他の繰延資産の償却についても同様である。

(2)　社債発行費等の会計処理

会計基準

社債発行費は、原則として、 支出時に費用 （ 営業外費用 ）として処理する。ただし、社債発行費を 繰延資産 に計上することができる。この場合には、 社債の償還までの期間 にわたり 利息法 により償却をしなければならない。なお、償却方法については、継続適用を条件として、 定額法 を採用することができる。

社債発行費とは、社債募集のための広告費、金融機関の取扱手数料、証券会社の取扱手数料、目論見書・社債券等の印刷費、社債の登記の登録免許税その他社債発行のため直接支出した費用をいう。

また、 新株予約権 の発行に係る費用についても、 資金調達 などの 財

務活動 （組織再編の対価として新株予約権を交付する場合を含む。）に係るものについては、社債発行費と同様に 繰延資産 として会計処理することができる。この場合には、 新株予約権の発行 のときから、 3年以内 のその効果の及ぶ期間にわたって、 定額法 により償却をしなければならない。ただし、新株予約権が社債に付されている場合で、当該新株予約権付社債を一括法により処理するときは、当該新株予約権付社債の発行に係る費用は、 社債発行費 として処理する。

（会計処理の考え方）

本実務対応報告では、社債発行費を支出時に費用として処理しない場合には、これまでと同様、繰延資産に計上することとした。

また、社債発行費の償却方法については、旧商法施行規則により、これまで3年以内の期間で均等額以上の償却が求められてきた。しかし、社債発行者にとっては、 社債利息 やこれまでの 社債発行差金 に相当する額のみならず、 社債発行費 も含めて 資金調達費 と考えることができること、また、国際的な会計基準における償却方法との整合性を考慮すると、社債発行費は、 社債の償還までの期間 にわたり、 利息法 （又は継続適用を条件として 定額法 ）により償却することが合理的と考えられる。

なお、計算規則において、払込みを受けた金額が債務額と異なる社債については、事業年度の末日における適正な価格を付すことができるとされた（計算規則第6条第2項第2号）ことから、これを契機に、これまで繰延資産として取り扱われてきた社債発行差金に相当する額は、国際的な会計基準と同様、社債金額から直接控除することとされた（金融商品会計基準第26項）。

(3) 創立費の会計処理

会計基準

創立費は、原則として、 支出時に費用 （ 営業外費用 ）として処理する。ただし、創立費を 繰延資産 に計上することができる。この場合には、 会社の成立 のときから 5年以内 のその効果の及ぶ期間にわたって、 定額法 により償却をしなければならない。

創立費とは、会社の負担に帰すべき設立費用、例えば、定款及び諸規則作成のための費用、株式募集その他のための広告費、目論見書・株券等の印刷費、創立事務所の賃借料、設立事務に使用する使用人の給料、金融機関の取扱手数

料、証券会社の取扱手数料、創立総会に関する費用その他会社設立事務に関する必要な費用、発起人が受ける報酬で定款に記載して創立総会の承認を受けた金額並びに設立登記の登録免許税等をいう。

（会計処理の考え方）

　会社法では、創立費を 資本金 又は 資本準備金 から減額することが可能とされた（計算規則第43条第1項第3号）。しかしながら、創立費は、株主との間の 資本取引 によって発生するものではないことから、本実務対応報告では、創立費を 支出時に費用 として処理（支出時に費用として処理しない場合には、これまでと同様、 繰延資産 に計上）することとした。

(4)　開業費の会計処理

会計基準

　開業費は、原則として、 支出時に費用 （ 営業外費用 ）として処理する。ただし、開業費を 繰延資産 に計上することができる。この場合には、 開業 のときから 5年以内 のその効果の及ぶ期間にわたって、 定額法 により償却をしなければならない。なお、「開業のとき」には、その営業の一部を開業したときも含むものとする。また、開業費を 販売費及び一般管理費 として処理することができる。

　開業費とは、土地、建物等の賃借料、広告宣伝費、通信交通費、事務用消耗品費、支払利子、使用人の給料、保険料、電気・ガス・水道料等で、会社成立後営業開始時までに支出した開業準備のための費用をいう。

（会計処理の考え方）

　本実務対応報告では、開業費を支出時に費用として処理しない場合には、これまでと同様、繰延資産に計上することとした。開業準備活動は通常の 営業活動 ではないため、開業準備のために要した費用は原則として、 営業外費用 として処理することとした。ただし、当該費用は、 営業活動 と密接であること及び実務の便宜を考慮して、 販売費及び一般管理費 （ 支出時に費用 として処理する場合のほか、 繰延資産 に計上した場合の 償却額 を含む。）として処理することができることとした。

　また、開業費の範囲については、開業までに支出した一切の費用を含むものとする考え方もあるが、開業準備のために 直接支出 したとは認められない

費用については、その　効果が将来にわたって発現　することが明確ではないものが含まれている可能性がある。このため、開業費は、開業準備のために　直接支出　したものに限ることが適当である。

(5)　開発費の会計処理

会計基準

　開発費は、原則として、　支出時に費用　（売上原価又は　販売費及び一般管理費　）として処理する。ただし、開発費を　繰延資産　に計上することができる。この場合には、　支出　のときから　5年以内　のその効果の及ぶ期間にわたって、　定額法　その他の合理的な方法により規則的に償却しなければならない。

　開発費とは、新技術又は新経営組織の採用、資源の開発、市場の開拓等のために支出した費用、生産能率の向上又は生産計画の変更等により、設備の大規模な配置替えを行った場合等の費用をいう。ただし、　経常費　の性格をもつものは開発費には含まれない。

　なお、「研究開発費等に係る会計基準」の対象となる研究開発費については、　発生時に費用　として処理しなければならないことに留意する必要がある。

（会計処理の考え方）

　本実務対応報告では、開発費を支出時に費用として処理しない場合には、これまでと同様、繰延資産に計上することとした。

　開発費の効果の及ぶ期間の判断にあたり、支出の原因となった新技術や資源の利用可能期間が限られている場合には、その期間内（ただし、最長で5年以内）に償却しなければならない点に留意する必要がある。

(6)　支出の効果が期待されなくなった繰延資産の会計処理

会計基準

　支出の効果が期待されなくなった繰延資産は、その　未償却残高　を　一時に償却　しなければならない。

第8章

研究開発費等に係る会計基準

改正　平成20年12月26日

1 会計基準の整備の必要性

重要度 ★★

　研究開発は、企業の将来の 収益性 を左右する重要な要素であるが、近年、商品サイクルの短期化、新規技術に対するキャッチアップ期間の短縮及び研究開発の広範化・高度化等により、研究開発のための支出も相当の規模となっており、企業活動における研究開発の 重要性 が一層増大している。そのため、研究開発費の 総額 や研究開発の 内容 等の情報は、企業の 経営方針 や将来の 収益予測 に関する重要な 投資情報 として位置づけられている。

　研究開発費に類似する概念として、我が国には試験研究費及び開発費がある。しかし、試験研究費及び開発費は、その範囲が必ずしも明確でなく、また、資産への計上が任意 となっていること等から、内外 企業間の比較可能性 が阻害されているとの指摘がなされている。

　このような状況を踏まえ、企業の研究開発に関する適切な情報提供、企業間の比較可能性 及び国際的調和の観点から、研究開発費に係る会計基準を整備することが必要である。

　また、コンピュータの発達による 高度情報化社会 の進展の中で、企業活動におけるソフトウェアの果たす役割が急速に 重要性 を増し、その制作のために支出する額も次第に多額になってきている。このソフトウェアの制作過程には 研究開発 に当たる活動が含まれているが、ソフトウェアについての明確な会計基準が存在せず、各企業において区々の会計処理が行われており、会計基準の整備が望まれている。

　このため、本基準では、ソフトウェア制作過程における 研究開発 の範囲を明らかにするとともに、ソフトウェア制作費に係る会計処理全体の整合性の観点から、研究開発費 に該当しないソフトウェア制作費に係る会計処理についても明らかにすることとした。

2 定 義

会計基準

1　研究及び開発

　研究とは、 新しい知識の発見 を目的とした計画的な調査及び探究をいう。

　開発とは、新しい製品・サービス・生産方法（以下、「製品等」という。）についての計画若しくは設計又は既存の製品等を 著しく改良 するための計画若しくは設計として、研究の成果その他の 知識を具体化 することをいう。

2　ソフトウェア

　ソフトウェアとは、コンピュータを機能させるように指令を組み合わせて表現した プログラム 等をいう。

意見書

1　研究及び開発の定義について

　研究及び開発の定義は研究開発費の範囲と直接結びついている。本基準では、研究開発費に関する内外企業間の 比較可能性 を担保するため、諸外国における定義を参考とするとともに、我が国の企業が実務慣行上研究開発として認識している範囲等を考慮しつつ検討を行い、研究及び開発を次のように定義することとした。

　研究とは、「 新しい知識の発見 を目的とした計画的な調査及び探究」をいい、開発とは、「新しい製品・サービス・生産方法（以下、「製品等」という。）についての計画若しくは設計又は既存の製品等を 著しく改良 するための計画若しくは設計として、研究の成果その他の 知識を具体化 すること」をいう。

　例えば、製造現場で行われる改良研究であっても、それが明確なプロジェクトとして行われている場合には、開発の定義における「著しい改良」に該当するものと考えられる。なお、製造現場で行われる品質管理活動やクレーム処理のための活動は研究開発には含まれないと解される。

3 研究開発費を構成する原価要素

重要度 ★

会計基準

　研究開発費には、人件費、原材料費、固定資産の減価償却費及び間接費の配賦額等、研究開発のために費消された すべての原価 が含まれる。(注1)

（注1）研究開発費を構成する原価要素について

　　特定の研究開発目的にのみ使用され、他の目的に使用できない機械装置や特許権等を取得した場合の原価は、取得時の研究開発費とする。

4 研究開発費に係る会計処理

重要度 ★★★

会計基準

　研究開発費は、すべて 発生時 に 費用 として処理しなければならない。

　なお、 ソフトウェア制作費 のうち、 研究開発 に該当する部分も研究開発費として 費用処理 する。(注2)(注3)

（注2）研究開発費に係る会計処理について

　　費用として処理する方法には、一般管理費として処理する方法と当期製造費用として処理する方法がある。

（注3）ソフトウェア制作における研究開発費について

　　市場販売目的のソフトウェアについては、最初に製品化された製品マスターの完成までの費用及び製品マスター又は購入したソフトウェアに対する著しい改良に要した費用が研究開発費に該当する。

2　研究開発費の発生時費用処理について

　重要な投資情報である研究開発費について、 企業間の比較可能性 を担保することが必要であり、費用処理又は資産計上を任意とする現行の会計処理は適当でない。

　研究開発費は、発生時には将来の 収益 を獲得できるか否か 不明 であり、また、研究開発計画が進行し、将来の 収益 の獲得期待が高まったとしても、依然としてその獲得が 確実 であるとはいえない。そのため、研究開発費を資産として貸借対照表に計上することは適当でないと判断した。

　また、仮に、一定の要件を満たすものについて資産計上を強制する処理を採用する場合には、資産計上の要件を定める必要がある。しかし、実務上 客観的 に判断可能な要件を規定することは困難であり、 抽象的 な要件のもとで資産計上を求めることとした場合、 企業間の比較可能性 が損なわれるおそれがあると考えられる。

　したがって、研究開発費は 発生時 に費用として処理することとした。

5　研究開発費に該当しないソフトウェア制作費に係る会計処理

重要度 ★★★

会計基準

1　受注制作のソフトウェアに係る会計処理

　受注制作のソフトウェアの制作費は、 請負工事の会計処理 に準じて処理する。

2　市場販売目的のソフトウェアに係る会計処理

　市場販売目的のソフトウェアである製品マスターの制作費は、 研究開発費 に該当する部分を除き、 資産 として計上しなければならない。ただし、製品マスターの 機能維持 に要した費用は、 資産 として計上してはならない。

3　自社利用のソフトウェアに係る会計処理

　ソフトウェアを用いて外部へ業務処理等のサービスを提供する契約等が締

第8章　研究開発費等に係る会計基準

結されている場合のように、その提供により 将来の収益獲得 が確実であると認められる場合には、適正な原価を集計した上、当該ソフトウェアの 制作費 を 資産として計上 しなければならない。

社内利用のソフトウェアについては、完成品を購入した場合のように、その利用により将来の 収益獲得 又は 費用削減 が確実であると認められる場合には、当該ソフトウェアの取得に要した費用を 資産 として計上しなければならない。

機械装置等に組み込まれているソフトウェアについては、当該機械装置等に含めて処理する。

4　ソフトウェアの計上区分

市場販売目的のソフトウェア及び自社利用のソフトウェアを資産として計上する場合には、 無形固定資産 の区分に計上しなければならない。(注4)

(注4)制作途中のソフトウェアの計上科目について

制作途中のソフトウェアの制作費については、無形固定資産の仮勘定として計上することとする。

意 見 書

(1)　ソフトウェアの制作費は、その 制作目的 により、 将来の収益との対応関係 が異なること等から、ソフトウェア制作費に係る会計基準は、 取得形態 （自社制作、外部購入）別ではなく、 制作目的 別に設定することとした。

したがって、購入・委託したソフトウェアを加工することにより、目的の機能を有するソフトウェアを完成させる場合、当該購入・委託に要した費用は、下記(3)に示すようにそれぞれの 制作目的 に応じて処理することとなる。

(2)　研究開発目的のソフトウェアの制作費は 研究開発費 として処理されることとなるが、研究開発目的以外のソフトウェアの制作費についても、制作に要した費用のうち 研究開発 に該当する部分は 研究開発費 として処理する。

(3)　研究開発費に該当しないソフトウェア制作費の会計基準を 制作目的 別に定めるにあたっては、 販売目的 のソフトウェアと 自社利用 のソフトウェアとに区分し、販売目的のソフトウェアをさらに 受注制作 のソフトウェアと 市場販売目的 のソフトウェアに区分することとした。

❖ 5　研究開発費に該当しないソフトウェア制作費に係る会計処理

① 受注制作のソフトウェア

　　受注制作のソフトウェアについては、 請負工事の会計処理 に準じた処理を行うこととした。

② 市場販売目的のソフトウェア

　　ソフトウェアを市場で販売する場合には、製品マスター（複写可能な完成品）を制作し、これを 複写 したものを販売することとなる。

　　製品マスターの制作過程には、通常、 研究開発 に該当する部分と 製品の製造 に相当する部分とがあり、 研究開発 の終了時点の決定及びそれ以降のソフトウェア制作費の取扱いが問題となる。

　イ　研究開発の終了時点

　　　新しい知識を 具体化 するまでの過程が研究開発である。したがって、ソフトウェアの制作過程においては、製品番号を付すこと等により 販売の意思 が明らかにされた製品マスター、すなわち「 最初に製品化された製品マスター 」が完成するまでの制作活動が 研究開発 と考えられる。

　　　これは、製品マスターの完成は、工業製品の 研究開発 における量産品の 設計完了 に相当するものと考えられるためである。

　ロ　研究開発終了後のソフトウェア制作費の取扱い

　　　製品マスター又は購入したソフトウェアの機能の改良・強化を行う制作活動のための費用は、 著しい改良 と認められない限り、資産に計上しなければならない。

　　　なお、バグ取り等、機能維持に要した費用は、 機能の改良・強化 を行う制作活動には該当せず、 発生時に費用 として処理することとなる。

　　　製品マスターは、それ自体が 販売の対象物 ではなく、機械装置等と同様にこれを 利用（複写） して製品を作成すること、製品マスターは 法的権利（著作権） を有していること及び 適正な原価計算 により取得原価を明確化できることから、当該取得原価を 無形固定資産 として計上することとした。

③ 自社利用のソフトウェア

　　将来の 収益獲得 又は 費用削減 が確実である自社利用のソフトウェアについては、 将来の収益との対応 等の観点から、その取得に要した費用を 資産 として計上し、その利用期間にわたり 償却 を行うべきと考えられる。

第8章　研究開発費等に係る会計基準

93

したがって、ソフトウェアを用いて外部に業務処理等のサービスを提供する契約が締結されている場合や完成品を [購入] した場合には、将来の [収益獲得] 又は [費用削減] が確実と考えられるため、当該ソフトウェアの取得に要した費用を [資産] として計上することとした。

　また、独自仕様の社内利用ソフトウェアを自社で [制作] する場合又は委託により [制作] する場合には、将来の [収益獲得] 又は [費用削減] が確実であると認められる場合を除き [費用] として処理することとなる。

会計基準

5　ソフトウェアの減価償却方法

　無形固定資産として計上したソフトウェアの [取得原価] は、当該 [ソフトウェアの性格] に応じて、[見込販売数量] に基づく償却方法その他 [合理的な方法] により償却しなければならない。

　ただし、毎期の償却額は、残存有効期間に基づく均等配分額を下回ってはならない。

意見書

(4)　無形固定資産として計上したソフトウェアの取得原価は、当該ソフトウェアの性格に応じて、[見込販売数量] に基づく償却方法その他 [合理的な方法] により償却しなければならない。ただし、毎期の償却額は、残存有効期間に基づく均等配分額を下回らないことが必要である。

　市場販売目的のソフトウェアの製品マスター等においては、[見込販売収益] に基づき費用配分する方法も合理的な方法の一つと考えられる。

　なお、社内利用のソフトウェアについては、一般的には、[定額法] による償却が合理的であると考えられる。

6 財務諸表の注記

重要度
★

会計基準

一般管理費 及び 当期製造費用 に含まれる研究開発費の 総額 は、財務諸表に 注記 しなければならない。(注6)

（注6）ソフトウェアに係る研究開発費の注記について

ソフトウェアに係る研究開発費については、研究開発費の総額に含めて財務諸表に注記することとする。

意見書

1　財務諸表における開示

研究開発の規模について 企業間の比較可能性 を担保するため、当該年度の 一般管理費 及び 当期製造費用 に含まれる研究開発費の 総額 を財務諸表に注記することとする。

なお、研究開発費は、当期製造費用として処理されたものを除き、一般管理費 として当該科目名称を付して記載することが適当である。

第8章

研究開発費等に係る会計基準

第 9 章

退職給付に関する
会計基準

最終改正　平成28年12月16日
（2022年10月28日最終修正）

1 範　囲

重要度 ★★

3．本会計基準は、一定の期間にわたり 労働 を提供したこと等の事由に基づいて、 退職以後 に支給される給付（退職給付）の会計処理に適用する。

　　ただし、株主総会の決議又は委員会設置会社における報酬委員会の決定が必要となる、取締役、会計参与、監査役及び執行役（以下合わせて「 役員 」という。）の 退職慰労金 については、本会計基準の適用範囲には含めない。

結論の背景

50．退職給付意見書及び平成10年会計基準は、 役員 の 退職慰労金 について、 労働の対価 との関係が必ずしも明確でないことを理由に、直接対象とするものではないとしていた。平成24年改正会計基準でも基本的にこうした取扱いを踏襲している（第3項ただし書き参照）。

2 用語の定義

重要度 ★★★

会計基準

4．「確定拠出制度」とは、一定の掛金を外部に積み立て、事業主である企業が、当該掛金以外に退職給付に係る追加的な 拠出義務 を負わない退職給付制度をいう。

5．「確定給付制度」とは、 確定拠出制度 以外の退職給付制度をいう。

6．「退職給付債務」とは、 退職給付 のうち、 認識時点 までに発生していると認められる部分を 割り引いた ものをいう。

7．「年金資産」とは、特定の退職給付制度のために、その制度について企業と従業員との契約（ 退職金規程等 ）等に基づき積み立てられた、次のすべ

てを満たす特定の資産をいう。

(1) 　退職給付　以外に使用できないこと

(2) 事業主及び事業主の　債権者　から　法的　に　分離　されていること

(3) 積立超過分を除き、事業主への　返還　、事業主からの　解約　・　目的外の払出し　等が禁止されていること

(4) 資産を事業主の　資産　と　交換できない　こと

8.「勤務費用」とは、　1期間　の　労働の対価　として発生したと認められる　退職給付　をいう。

9.「利息費用」とは、割引計算により算定された期首時点における　退職給付債務　について、期末までの　時の経過　により発生する　計算上の利息　をいう。

10.「期待運用収益」とは、　年金資産の運用　により生じると合理的に期待される　計算上の収益　をいう。

11.「数理計算上の差異」とは、年金資産の　期待運用収益　と　実際の運用成果　との差異、退職給付債務の数理計算に用いた　見積数値　と　実績　との差異及び　見積数値の変更　等により発生した差異をいう。なお、このうち当期純利益を構成する項目として費用処理（費用の減額処理又は費用を超過して減額した場合の利益処理を含む。以下同じ。）されていないものを「　未認識数理計算上の差異　」という（第24項参照）。

12.「過去勤務費用」とは、　退職給付水準の改訂　等に起因して発生した　退職給付債務　の　増加又は減少部分　をいう。なお、このうち当期純利益を構成する項目として費用処理されていないものを「　未認識過去勤務費用　」という（第25項参照）。

結論の背景

51. 平成24年改正会計基準では、国際的な会計基準も参考に、確定拠出制度と確定給付制度の定義を明示したが、これまでの考え方を変えるものではない（第4項及び第5項参照）。

52. 平成10年会計基準における「過去勤務債務」を、平成24年改正会計基準では「過去勤務費用」という名称に改めているが、これは、年金財政計算上の「過去勤務債務」とは異なることを明瞭にするためであり、その内容の変更を意図したものではない。

第9章
退職給付に関する会計基準

3 確定給付制度の会計処理 重要度 ★★★

(1) 基本的な考え方

結論の背景

53. 平成10年会計基準は退職給付について、その支給方法や積立方法が異なっているとしても退職給付であることに違いはなく、企業会計において退職給付の性格は、 労働の対価 として支払われる 賃金の後払い であるという考え方に立ち、基本的に勤務期間を通じた 労働の提供 に伴って 発生 するものと捉えていた。このような捉え方に立てば、退職給付は、その発生が 当期以前の事象 に起因する 将来の特定の費用的支出 であり、当期の負担に属すべき金額は、その 支出の事実 に基づくことなく、その 支出の原因 又は 効果の期間帰属 に基づいて費用として認識するという企業会計における考え方が、企業が直接給付を行う退職給付のみならず企業年金制度による退職給付にも当てはまる。したがって、退職給付はその 発生 した期間に 費用 として認識することとなる。

54. 平成24年改正会計基準においても、将来の退職給付のうち当期の負担に属する額を 当期の費用 として計上するとともに 負債の部 に計上するという基本的な会計処理の考え方を引き継いでいる。さらに、平成10年会計基準が採用していた次のような退職給付に係る会計処理に 特有の事象 についての考え方についても踏襲している。

(1) 負債の計上にあたって外部に積み立てられた 年金資産 を差し引くとともに、年金資産の運用により生じると期待される収益を、 退職給付費用 の計算において差し引くこと

(2) 退職給付の水準の改訂及び退職給付の見積りの基礎となる計算要素の変更等により 過去勤務費用 及び 数理計算上の差異 が生じるが、これらは、原則として、一定の期間にわたって 規則的 に、 費用処理 すること

(2)　貸借対照表、損益計算書及び包括利益計算書(又は損益及び包括利益計算書)での取扱い

会計基準

貸借対照表

13.　 退職給付債務 （第16項参照）から 年金資産 の額（第22項参照）を控除した額（以下「 積立状況を示す額 」という。）を 負債 として計上する。

　　ただし、 年金資産 の額が 退職給付債務 を超える場合には、 資産 として計上する(注1)。

　（注1） 複数の退職給付制度を採用している場合において、1つの退職給付制度に係る年金資産が当該退職給付制度に係る退職給付債務を超えるときは、当該年金資産の超過額を他の退職給付制度に係る退職給付債務から控除してはならない。

損益計算書及び包括利益計算書（又は損益及び包括利益計算書）

14.　次の項目の当期に係る額は、退職給付費用として、 当期純利益 を構成する項目に含めて計上する(注2)。

(1)　 勤務費用 （第17項参照）

(2)　 利息費用 （第21項参照）

(3)　 期待運用収益 （第23項参照）

(4)　 数理計算上の差異 に係る当期の費用処理額（第24項参照）

(5)　 過去勤務費用 に係る当期の費用処理額（第25項参照）

15.　数理計算上の差異の当期発生額及び過去勤務費用の当期発生額のうち、 費用処理 されない部分（未認識数理計算上の差異及び未認識過去勤務費用となる。）については、 その他の包括利益 に含めて計上する。 その他の包括利益累計額 に計上されている未認識数理計算上の差異及び未認識過去勤務費用のうち、当期に 費用処理 された部分については、 その他の包括利益の調整 （ 組替調整 ）を行う（第24項また書き及び第25項また書き参照）。

　（注2） 臨時に支給される退職給付であってあらかじめ予測できないもの及び退職給付債務の計算にあたって考慮されていたもの以外の退職給付の支給については、支払時の退職給付費用として処理する。

55. 平成10年会計基準は、数理計算上の差異及び過去勤務費用を平均残存勤務期間以内の一定の年数で規則的に処理することとし、費用処理されない部分（未認識数理計算上の差異及び未認識過去勤務費用）については貸借対照表に計上せず、これに対応する部分を除いた、積立状況を示す額を負債（又は資産）として計上することとしていた。しかし、一部が除かれた積立状況を示す額を貸借対照表に計上する場合、 積立超過 のときに負債（退職給付引当金）が計上されたり、 積立不足 のときに資産（前払年金費用）が計上されたりすることがあり得るなど、退職給付制度に係る状況について 財務諸表利用者の理解 を妨げているのではないかという指摘があった。

　このため、平成24年改正会計基準では、国際的な会計基準も参考にしつつ検討を行い、未認識数理計算上の差異及び未認識過去勤務費用を、税効果を調整の上、純資産の部（その他の包括利益累計額）に計上することとし、 積立状況を示す額 をそのまま負債（又は資産）として計上することとした（第13項、第24項また書き及び第25項また書き参照）。なお、個別財務諸表においては、当面の間、これらの取扱いを適用しないことに留意が必要である（第39項(1)及び(2)並びに第86項から第89項参照）。

56. 一方、数理計算上の差異及び過去勤務費用の費用処理方法については変更しておらず、従来どおり 平均残存勤務期間 以内の一定の年数で 規則的 に 費用処理 されることとなる（第24項及び第25項参照）。この結果、平成24年改正会計基準では、数理計算上の差異及び過去勤務費用の当期発生額のうち、 費用処理 されない部分を その他の包括利益 に含めて計上し、 その他の包括利益累計額 に計上されている未認識数理計算上の差異及び未認識過去勤務費用のうち、当期に当期純利益を構成する項目として 費用処理 された部分については、 その他の包括利益の調整 （ 組替調整 ）を行うこととした（第15項参照）。

(3) 退職給付債務及び勤務費用

会計基準

（退職給付債務の計算）

16. 退職給付債務は、退職により見込まれる退職給付の総額（以下「 退職給付見込額 」という。）のうち、 期末までに発生 していると認められる額を 割り引いて計算 する(注3)。

（注３）退職給付債務は、原則として個々の従業員ごとに計算する。ただし、勤続
　　年数、残存勤務期間、退職給付見込額等について標準的な数値を用いて加重平均
　　等により合理的な計算ができると認められる場合には、当該合理的な計算方法を
　　用いることができる。

（勤務費用の計算）

17.　勤務費用は、 退職給付見込額 のうち 当期に発生 したと認められる
　額を 割り引いて 計算する(注4)。

（注４）従業員からの拠出がある企業年金制度を採用している場合には、勤務費用
　　の計算にあたり、従業員からの拠出額を勤務費用から差し引く。

（退職給付見込額の見積り）

18.　退職給付見込額は、合理的に見込まれる 退職給付の変動要因 を考慮し
　て見積る(注5)。

（注５）退職給付見込額の見積りにおいて合理的に見込まれる退職給付の変動要因
　　には、予想される昇給等が含まれる。また、臨時に支給される退職給付等であっ
　　てあらかじめ予測できないものは、退職給付見込額に含まれない。

（退職給付見込額の期間帰属）

19.　退職給付見込額のうち期末までに発生したと認められる額は、次の いず
　れかの方法 を選択適用して計算する。この場合、いったん採用した方法は、
　原則として、継続して適用しなければならない。
（1）　退職給付見込額について 全勤務期間で除した額 を各期の発生額とす
　　る方法（以下「 期間定額基準 」という。）
（2）　退職給付制度の 給付算定式 に従って 各勤務期間に帰属させた給付
　　に基づき見積った額 を、退職給付見込額の各期の発生額とする方法（以
　　下「 給付算定式基準 」という。）
　　　なお、この方法による場合、勤務期間の後期における給付算定式に従っ
　　た給付が、初期よりも著しく高い水準となるときには、当該期間の給付が
　　均等に生じるとみなして 補正 した給付算定式に従わなければならな
　　い。

（割引率）

20. 退職給付債務の計算における割引率は、 安全性の高い債券の利回り を基礎として決定する^(注6)。

 （注6）割引率の基礎とする安全性の高い債券の利回りとは、期末における国債、政府機関債及び優良社債の利回りをいう。

21. 利息費用は、 期首の退職給付債務 に 割引率 を乗じて計算する。

結論の背景

（退職給付見込額の見積り）

57. 平成10年会計基準は、退職給付見込額に考慮すべき、合理的に見込まれる退職給付の変動要因（第18項参照）として、確実に見込まれる昇給等を挙げていた。しかしながら、退職給付債務及び勤務費用の計算基礎の１つである予想昇給率について、確実なものだけを考慮する場合、割引率等の他の計算基礎との整合性を欠く結果になると考えられることや、国際的な会計基準では確実性までは求められていないことを勘案し、平成24年改正会計基準では、確実に見込まれる昇給等ではなく、 予想される昇給 等を考慮すべきこととした（（注5）参照）。

（平成10年会計基準における退職給付見込額の期間帰属方法）

58. 平成10年会計基準及び退職給付意見書は、労働の対価として退職給付の発生額を見積る観点からは、 勤務期間 を基準とする方法が国際的にも 合理的 で 簡便 な方法であると考えられているとし、第19項(1)に定める期間定額基準を退職給付見込額の期間帰属方法の原則的な方法としていた。しかしながら、平成10年会計基準の公表直前に改正された国際会計基準（IAS）第19号「従業員給付」では、その公開草案の段階で期間定額基準に類似した方法が提案されたものの、最終的には第19項(2)に定める給付算定式基準が採用されている。また、昭和60年（1985年）に公表された米国財務会計基準書（SFAS）第87号「事業主の年金会計」（現在は、FASB Accounting Standards Codification™（FASBによる会計基準のコード化体系）のTopic715「労働対価－退職給付」に含まれている。）に基づく実務では、勤務期間を基準とした退職給付見込額の期間帰属が広く行われているが、これは、同基準により求められる給付算定式基準を、米国で一般的な退職給付制度に当てはめ

た結果であると考えられる。

59. 平成10年会計基準及び退職給付意見書は、期間定額基準以外の期間帰属方法として、給与基準と支給倍率基準を挙げていたが、これらの方法は一定の場合にのみ認められるとしていた。また、退職給付実務指針では、一定の場合に限り、ポイント基準が認められていた。

（平成24年改正会計基準による退職給付見込額の期間帰属方法の見直し）

60. 当委員会は、平成21年に公表した論点整理の中で、我が国の会計基準における退職給付見込額の期間帰属方法を、国際的な会計基準と同様に、第19項⑵に定める給付算定式基準に変更すべきかを論点として示し、論点整理に寄せられたコメントも踏まえて検討を行った。検討の過程では、給付算定式基準を導入すべきとされたものの、期間定額基準については廃止すべきか、あるいは両者の選択適用とすべきかについて意見が分かれた。

61. 期間定額基準を選択適用で認めるべきという意見は、我が国の退職給付会計では退職給付見込額の期間帰属方法を 費用配分の方法 として捉えており（第53項参照）、直接観察 できない 労働サービスの費消態様 に 合理的な仮定 を置かざるを得ないことを踏まえれば、労働サービスに係る費用配分の方法は一義的に決まらず、勤務期間を基礎とする費用配分の方法（期間定額基準）についても、これを否定する根拠は乏しいという考え方に基づいている。また、給付算定式基準では、勤務期間の後期における給付算定式に従った給付が、初期よりも著しく高い水準となる場合（給付算定式に従う給付が著しく後加重である場合）、その部分について均等に生じるものとみなして 補正 すべきとされているが、これは、勤務期間を基礎とする配分に一定の合理性を認めていることを示唆している、という意見もある。

62. 一方、期間定額基準を廃止すべきという意見は、この方法の採用の経緯（第58項参照）を踏まえれば、これを改めて支持する根拠を欠くという考え方に基づいている。また、勤続年数の増加に応じた 労働サービスの向上 を踏まえれば、毎期の費用を定額とする期間定額基準よりも、給付算定式 に従って費用が 増加 するという取扱いの方が 実態 をより表すものであり、勤務をしても給付が増加されない状況（定年直前に給付額が頭打ちになる場合や、将来給付すべての減額の場合など）でも費用を認識する場合がある点で期間定額基準は妥当でないという考え方や、給付算定式に従う給付が著しく後加重である場合など、勤務期間を基礎とする費用配分が適当な状況があるとしても、すべての勤務期間について配分する必要はないという考え方にも基づいている。このほか、退職給付債務の計算は給付算定式を基礎と

すべきであり、これと直接関連しない測定値となる期間定額基準は妥当でないという考え方もある。

63. 検討の結果、期間定額基準が最適とはいえない状況があったとしても、これを一律に否定するまでの根拠はないことや、また、国際的な会計基準では、キャッシュ・バランス・プランを含めた一部の制度に対する給付算定式に従った方法の適用が不明確なため、この方法の見直しが検討されていることを踏まえ、適用の明確さでより優れていると考えられる期間定額基準についても、給付算定式基準との選択適用という形で認めることとした（第19項参照）。

(4) 年金資産

会計基準

22. 年金資産の額は、 期末 における 時価 （ 公正な評価額 ）により計算する。

23. 期待運用収益は、 期首の年金資産 の額に合理的に期待される収益率（ 長期期待運用収益率 ）を乗じて計算する。

結論の背景

69. 企業年金制度を採用している企業などでは、退職給付に充てるため 外部 に積み立てられている 年金資産 が存在する。この年金資産は 退職給付の支払 のためのみに使用されることが 制度的に担保 されていることなどから、これを 収益獲得 のために保有する 一般の資産 と同様に企業の 貸借対照表 に計上することには問題があり、かえって、財務諸表の利用者に 誤解 を与えるおそれがあると考えられる。また国際的な会計基準においても年金資産を直接貸借対照表に計上せず、退職給付債務からこれを 控除 することが一般的である。したがって、年金資産の額は 退職給付に係る負債 の計上額の計算にあたって 差し引く こととしている。この場合、年金資産の額が退職給付債務の額を上回る場合には、 退職給付に係る資産 として貸借対照表に計上することになる（第13項ただし書き及び第27項参照）。

(5) 数理計算上の差異及び過去勤務費用の会計処理

会計基準

数理計算上の差異

24. 数理計算上の差異は、原則として 各期の発生額 について、予想される退職時から現在までの平均的な期間（以下「平均残存勤務期間」という。）以内の一定の年数で按分した額を 毎期費用処理 する ^{(注7)(注8)}。

    また、当期に発生した未認識数理計算上の差異は税効果を調整の上、その他の包括利益 を通じて 純資産の部 に計上する（第27項参照）。

    （注7） 数理計算上の差異については、未認識数理計算上の差異の残高の一定割合を費用処理する方法によることができる。この場合の一定割合は、数理計算上の差異の発生額が平均残存勤務期間以内に概ね費用処理される割合としなければならない。

    数理計算上の差異については、当期の発生額を翌期から費用処理する方法を用いることができる。

    （注8） 割引率等の計算基礎に重要な変動が生じていない場合には、これを見直さないことができる。

過去勤務費用

25. 過去勤務費用は、原則として 各期の発生額 について、平均残存勤務期間 以内の一定の年数で按分した額を 毎期費用処理 する ^{(注9)(注10)}。

    また、当期に発生した未認識過去勤務費用は税効果を調整の上、その他の包括利益 を通じて 純資産の部 に計上する（第27項参照）。

    （注9） 過去勤務費用については、未認識過去勤務費用の残高の一定割合を費用処理する方法によることができる。この場合の一定割合は、過去勤務費用の発生額が平均残存勤務期間以内に概ね費用処理される割合としなければならない。

    （注10） 退職従業員に係る過去勤務費用は、他の過去勤務費用と区分して発生時に全額を費用処理することができる。

結論の背景

（退職給付意見書及び平成10年会計基準による考え方）

67. 退職給付意見書及び平成10年会計基準は、過去勤務費用及び数理計算上の差異について、次の(1)から(3)に掲げる考え方を採っていた。

(1) 過去勤務費用及び数理計算上の差異については、その 発生 した時点において費用とする考え方があるが、国際的な会計基準では一時の費用とはせず 一定の期間 にわたって一部ずつ費用とする、又は、数理計算上の差異については一定の範囲内は認識しないという処理 （ 回廊アプローチ ）が行われている。

　こうした会計処理については、過去勤務費用の発生要因である給付水準の改訂等が従業員の 勤労意欲 が将来にわたって向上するとの期待のもとに行われる面があること、また、数理計算上の差異には 予測と実績の乖離 のみならず 予測数値の修正 も反映されることから各期に生じる差異を 直ちに 費用として計上することが退職給付に係る 債務の状態 を忠実に表現するとはいえない面があること等の考え方が示されている。このように、過去勤務費用や数理計算上の差異の性格を 一時 の費用とすべきものとして一義的に決定づけることは難しいと考えられる。

(2) 数理計算上の差異の取扱いについては、退職給付債務の数値を毎期末時点において厳密に計算し、その結果生じた 計算差異 に一定の 許容範囲（回廊） を設ける方法と、基礎率等の計算基礎に 重要な変動 が生じない場合には計算基礎を変更しない等 計算基礎 の決定にあたって合理的な範囲で 重要性 による判断を認める方法 （ 重要性基準 ）が考えられる。退職給付費用が 長期的な見積計算 であることから、このような 重要性 による判断を認めることが適切と考え、数理計算上の差異の取扱いについては、 重要性基準 （（注8）参照）の考え方によることとした。

　また、計算基礎にこのような 重要性 による判断を認めた上で 回廊 を設けることとする場合、実質的な 許容範囲 の幅が極めて大きくなることから、 重要性基準 に加えてさらに 回廊 を設けることとはしないこととした。

(3) 基礎率等の計算基礎に重要な変動が生じた場合において計算基礎の見直しを行ったときなどに生じる数理計算上の差異については、過去勤務費用と同じく、平均残存勤務期間以内の一定の年数で規則的に処理することとしている。この場合、一定の年数での規則的処理には、発生した期に全額

を処理する方法を継続して採用することも含まれる。

（平成24年改正会計基準の考え方）

68. 当委員会が公表した企業会計基準第19号の審議の過程では、第65項に掲げた平成10年会計基準注解（注6）なお書きの削除に合わせ、回廊（前項(2)参照）の導入と重要性基準（前項(2)参照）の廃止を検討対象に含めるべきかが審議されたが、IASBが進めている退職給付会計の見直しの中では、回廊を含めたいわゆる遅延認識の廃止の議論がなされている途中であったことも考慮し、これらを含めないこととした。

　したがって、平成24年改正会計基準は数理計算上の差異及び過去勤務費用の費用処理に対する第67項の考え方をそのまま踏襲している（第48項及び第49項参照）。

 # 4 確定給付制度の開示 重要度 ★

会計基準

表　示

27. ｜積立状況を示す額｜（第13項参照）について、負債となる場合は「｜退職給付に係る負債｜」等の適当な科目をもって｜固定負債｜に計上し、資産となる場合は「｜退職給付に係る資産｜」等の適当な科目をもって｜固定資産｜に計上する。未認識数理計算上の差異及び未認識過去勤務費用については、税効果を調整の上、純資産の部における｜その他の包括利益累計額｜に「｜退職給付に係る調整累計額｜」等の適当な科目をもって計上する。

28. 退職給付費用（第14項参照）については、原則として｜売上原価｜又は｜販売費及び一般管理費｜に計上する。

　ただし、新たに退職給付制度を採用したとき又は給付水準の重要な改訂を行ったときに発生する過去勤務費用を発生時に全額費用処理する場合などにおいて、その金額が重要であると認められるときには、当該金額を｜特別損益｜として計上することができる。

29. 当期に発生した未認識数理計算上の差異及び未認識過去勤務費用並びに当期に費用処理された｜組替調整額｜（第15項参照）については、｜その他の

包括利益 に「 退職給付に係る調整額 」等の適当な科目をもって、一括して計上する。

表　示

74. 退職給付に係る負債（又は資産）及び退職給付費用の表示については、平成10年会計基準の取扱いを踏襲しているが、将来の退職給付のうち当期の負担に属する額を当期の費用として引当金に繰り入れ、当該引当金の残高を負債計上額としていた従来の方法から、これらにその他の包括利益を通じて認識される、未認識数理計算上の差異や未認識過去勤務費用に対応する額も負債計上額に加える方法に変更した（第55項参照）ことに伴い、「退職給付引当金」及び「前払年金費用」という名称を、それぞれ「 退職給付に係る負債 」及び「 退職給付に係る資産 」に変更している（第27項参照）。なお、個別財務諸表においては、当面の間、この取扱いを適用せず、従来の名称を使用することに留意が必要である（第39項(3)及び第86項から第89項参照）。

75. 新たに退職給付制度を採用したとき又は給付水準の重要な改訂を行ったときに発生する過去勤務費用について、平成10年会計基準は、これに係る当期の費用処理額が重要である場合、当該費用処理額を特別損失として計上することを認めていた一方で、退職給付意見書では、その発生時に全額費用処理する場合などにおいて、その金額が重要であるときに、特別損失として計上することを認めていた。

　　平成24年改正会計基準では、規則的な費用処理額が特別損益に計上されることは適当ではないと考えたことから、上記の2つの考え方のうち、退職給付意見書のものを引き継ぐこととした（第28項参照）。

76. 当期に発生した未認識数理計算上の差異及び未認識過去勤務費用並びに当期に費用処理された組替調整額については、その内訳の注記が求められる（第30項(7)参照）ことと、企業会計基準第25号「包括利益の表示に関する会計基準」第9項において、その他の包括利益の内訳項目ごとに組替調整額の注記が求められることを踏まえ、包括利益計算書（又は損益及び包括利益計算書）上は区分表示を求めず、それらを一括して計上することとした（第29項参照）。

確定拠出制度の会計処理及び開示

重要度 ★

会計基準

31. 確定拠出制度については、当該制度に基づく 要拠出額 をもって 費用処理 する。また、当該制度に基づく 要拠出額 をもって 費用処理 するため、未拠出の額は 未払金 として計上する。

32. 前項の費用は、第28項の 退職給付費用 に含めて計上する。

結論の背景

78. 確定拠出制度の会計処理については、平成10年会計基準では明示されていなかったものの、退職給付意見書の中でその考え方が示され、また、その後に公表された企業会計基準適用指針第1号「退職給付制度間の移行等に関する会計処理」などの中で取扱いが定められていた。平成24年改正会計基準での定義（第4項参照）、会計処理及び開示（第31項及び第32項参照）は、こうした従来の考え方や取扱いを踏襲したものである。

適用時期等

重要度 ★

会計基準

（個別財務諸表における当面の取扱い）

39. 個別財務諸表上、所定の事項については、当面の間、次のように取り扱う。

(1) 第13項にかかわらず、個別貸借対照表上、退職給付債務に 未認識数理計算上の差異 及び 未認識過去勤務費用 を加減した額から、年金資産 の額を控除した額を負債として計上する。ただし、年金資産の額が退職給付債務に未認識数理計算上の差異及び未認識過去勤務費用を加減した額を超える場合には、資産 として計上する。

(2) 第15項、第24項また書き、第25項また書き、第29項及び第30項(7)(8)につい

第9章 退職給付に関する会計基準

ては適用しない。

(3)　第27項にかかわらず、個別貸借対照表に負債として計上される額（本項(1)参照）については「 退職給付引当金 」の科目をもって 固定負債 に計上し、資産として計上される額（本項(1)参照）については「 前払年金費用 」等の適当な科目をもって 固定資産 に計上する。

(4)　連結財務諸表を作成する会社については、個別財務諸表において、未認識数理計算上の差異及び未認識過去勤務費用の貸借対照表における取扱いが連結財務諸表と異なる旨を注記する。

(5)　本会計基準等で使用されている「退職給付に係る負債」、「退職給付に係る資産」という用語（本会計基準の公表による他の会計基準等についての修正を含む。）は、個別財務諸表上は「退職給付引当金」、「前払年金費用」と読み替えるものとする。

結論の背景

（個別財務諸表における当面の取扱い）

86.　公開草案に対して寄せられたコメントの中には、本会計基準を個別財務諸表へ適用することについて慎重に検討すべきという意見があり、とりわけ公開草案で提案された内容のうち、未認識数理計算上の差異及び未認識過去勤務費用（以下「未認識項目」という。）を負債計上する取扱いは、重要な論点として審議された。また、本論点は単体検討会議においても議論され、当該会議の報告書では、年金法制との関係の観点や分配可能額に影響を与える可能性等を踏まえ、慎重に対処し連結先行も含め何らかの激変を緩和する措置を講ずる必要があるという方向性の考え方が示された。

87.　審議の過程では、年金法制による規制の結果、事業再編時に合理的な方法によって資産の移換や債務の引継ぎが困難な状況が存在し、また、受給者分は事実上移換できないため、親会社の債務として扱った上で子会社の剰余金で補われる場合もあり、個別財務諸表に未認識項目を負債として認識すると、事業再編後の経営実態を必ずしも適切に表していないとの意見や、未認識項目の負債計上は会社法上の分配可能額に影響が及ぶ可能性が懸念されるという意見があった。

　一方、年金法制による影響の程度が明確でなく、影響範囲は負担する債務の一部に限定されるのではないかという意見や、会社法上の分配可能額は、一般に公正妥当と認められる会計基準に従って作成された計算書類を基礎として、必要な調整を加えて計算されることとされているため、上記の懸念は

会計基準の策定にあたり一義的に問題とすべきものではないという意見が
あった。

88.　当委員会では、上記のとおり市場関係者の合意形成が十分に図られていな
い状況を踏まえ、今後議論を継続することとし、現時点における対応として
は、未認識項目の負債計上に係る個別財務諸表の取扱いについては、当面の
間、平成10年会計基準の取扱いを継続することとした（第39項参照）。

　なお、連結財務諸表に関する変更に伴い、連結財務諸表を作成する会社に
ついては、個別財務諸表において未認識項目の貸借対照表における取扱いが
連結財務諸表と異なる旨の注記を求めることとした（第39項(4)参照）。未認
識項目を発生時に全額費用処理する場合には、連結財務諸表と個別財務諸表
の会計処理が異なることにはならないため、当該注記は不要であると考えら
れる。

89.　前項までの審議にあたっては、未認識項目の負債計上に関して、個別財務
諸表に任意で適用することを認めるかどうかについても検討されたが、当面
の間は平成10年会計基準の取扱いを継続することとした経緯等も踏まえた結
果、任意の適用の取扱いは採用されなかった。

第10章

資産除去債務に関する会計基準

平成20年 3 月31日
（平成24年 5 月17日修正）

用語の定義

重要度
★★

3. 本会計基準における用語の定義は、次のとおりとする。

　(1)　「資産除去債務」とは、有形固定資産の取得、建設、開発又は通常の使用によって生じ、当該 [有形固定資産の除去] に関して法令又は契約で要求される [法律上の義務] 及びそれに [準ずるもの] をいう。この場合の [法律上の義務] 及びそれに [準ずるもの] には、[有形固定資産] を除去する義務のほか、有形固定資産の除去そのものは義務でなくとも、有形固定資産を除去する際に当該有形固定資産に使用されている [有害物質] 等を法律等の要求による特別の方法で除去するという義務も含まれる。

　(2)　有形固定資産の「除去」とは、有形固定資産を用役提供から [除外] することをいう（一時的に除外する場合を除く。）。除去の具体的な態様としては、売却、廃棄、リサイクルその他の方法による処分等が含まれるが、[転用] や [用途変更] は含まれない。

　　　また、当該有形固定資産が [遊休状態] になる場合は除去に該当しない。

（資産除去債務の定義）

23.　本会計基準でいう有形固定資産には、財務諸表等規則において有形固定資産に区分される資産のほか、それに準じる有形の資産も含む。したがって、[建設仮勘定] や [リース資産] のほか、財務諸表等規則において「投資その他の資産」に分類されている [投資不動産] などについても、資産除去債務が存在している場合には、本会計基準の対象となることに留意する必要がある。

24.　本会計基準においては、資産除去債務を有形固定資産の除去に関わるものと定義している（第3項(1)参照）ことから、これらに該当しないもの、例えば、有形固定資産の [使用] 期間中に実施する環境修復や修繕は対象とはならない。

25.　有形固定資産の使用期間中に実施する環境修復や修繕も、資産の使用開始

前から予想されている将来の支出であり、資産除去債務と同様に扱わないことは整合性に欠けるのではないかとの見方がある。しかし、修繕引当金は、収益との対応 を図るために当期の負担に属する金額を計上するための貸方項目であり、債務ではない引当金と整理されている場合が多いことや、操業停止 や 対象設備の廃棄 をした場合には不要となるという点で資産除去債務と異なる面があることから、本会計基準では取り扱わないものとした。

26.　（略）

27.　（略）

28.　本会計基準では、資産除去債務を法令又は契約で要求される 法律上の義務 及びこれに 準ずるもの と定義している（第3項(1)参照）。企業が負う将来の負担を財務諸表に反映させることが 投資情報 として有用であるとすれば、それは法令又は契約で要求される 法律上の義務 だけに限定されない。また、資産除去債務は、国際的な会計基準においても必ずしも 法律上の義務 に限定されていないことから、本会計基準では、資産除去債務の定義として、法律上の義務 に 準ずるもの も含むこととした。

　本会計基準における 法律上の義務 に 準ずるもの とは、債務の履行 を免れることがほぼ 不可能 な義務を指し、法令又は契約で要求される 法律上の義務 とほぼ同等の 不可避的な義務 が該当する。具体的には、法律上の解釈により当事者間での清算が要請される債務に加え、過去の判例や行政当局の通達等のうち、法律上の義務とほぼ同等の不可避的な支出が義務付けられるものが該当すると考えられる。したがって、有形固定資産の除去が企業の 自発的 な計画のみによって行われる場合は、法律上の義務に準ずるものには該当しないこととなる。

29.　（略）

30.　転用や用途変更は企業が自ら 使用を継続 するものであり、当該有形固定資産を用役提供から除外することにはならないため、除去の具体的な態様には含めていない（第3項(2)参照）。

2 会計処理

重要度 ★★★

(1) 資産除去債務の負債計上

会計基準

4．資産除去債務は、有形固定資産の取得、建設、開発又は通常の使用によっ
て 発生 した時に 負債 として計上する。

結論の背景

（現行の会計基準における取扱い）

31．我が国においては、「企業会計原則と関係諸法令との調整に関する連続意
見書」（昭和35年6月大蔵省企業会計審議会）第三「有形固定資産の減価償
却について」にあるとおり、有形固定資産の耐用年数到来時に、解体、撤去、
処分等のために費用を要するときには、その 残存価額 に反映させること
とされている。ただし、有形固定資産の減価償却はこれまで 取得原価 の
範囲内で行われてきたこともあり、残存価額が マイナス （負の値）にな
るような処理は想定されず、実際に適用されてきてはいなかったと考えられ
る。また、当該費用の発生が当該残存価額の設定にあたって予見できなかっ
た機能的原因等により著しく不合理になったことなどから残存価額を修正す
ることとなった場合には、臨時償却として処理することも考えられるが、残
存価額を マイナス にしてこのような会計処理を行うこともなかったと考
えられる。

　　さらに、有形固定資産の取得後、当該有形固定資産の除去に係る費用が企
業会計原則注解（注18）を満たす場合には、当期の負担に属する金額を当期
の費用又は損失として 引当金 に繰り入れることとなる。しかし、このよ
うな引当金処理は、計上する必要があるかどうかの判断規準や、将来におい
て発生する金額の合理的な見積方法が必ずしも明確ではなかったことなどか
ら、これまで広くは行われてこなかったのではないかと考えられる。

（資産除去債務の会計処理の考え方）

32．有形固定資産の耐用年数到来時に解体、撤去、処分等のために費用を要す
る場合、有形固定資産の除去に係る用役（除去サービス）の費消を、当該有

形固定資産の使用に応じて各期間に 費用配分 し、それに対応する金額を 負債 として認識する考え方がある。このような考え方に基づく会計処理（ 引当金処理 ）は、資産の保守のような用役を費消する取引についての従来の会計処理から考えた場合に採用される処理である。こうした考え方に従うならば、有形固定資産の除去などの将来に 履行 される用役について、その 支払い も将来において履行される場合、当該債務は通常、 双務未履行 であることから、認識されることはない。

しかし、 法律上の義務 に基づく場合など、資産除去債務に該当する場合には、有形固定資産の除去サービスに係る支払いが 不可避的 に生じることに変わりはないため、たとえその支払いが後日であっても、債務として負担している金額が合理的に見積られることを条件に、資産除去債務の全額を 負債 として計上し、同額を有形固定資産の 取得原価 に反映させる処理（ 資産負債の両建処理 ）を行うことが考えられる。

33. 引当金処理に関しては、有形固定資産に対応する除去費用が、当該有形固定資産の使用に応じて各期に適切な形で 費用配分 されるという点では、 資産負債の両建処理 と同様であり、また、資産負債の両建処理の場合に計上される借方項目が資産としての性格を有しているのかどうかという指摘も考慮すると、 引当金処理 を採用した上で、資産除去債務の金額等を 注記情報 として開示することが適切ではないかという意見もある。

34. しかしながら、 引当金処理 の場合には、有形固定資産の 除去に必要な金額 が貸借対照表に 計上されない ことから、資産除去債務の 負債計上 が 不十分 であるという意見がある。また、資産負債の両建処理は、有形固定資産の取得等に付随して不可避的に生じる除去サービスの債務を 負債 として計上するとともに、対応する除去費用をその 取得原価 に含めることで、当該有形固定資産への 投資 について 回収すべき額 を引き上げることを意味する。この結果、有形固定資産に対応する除去費用が、 減価償却 を通じて、当該有形固定資産の使用に応じて各期に 費用配分 されるため、資産負債の両建処理は 引当金処理 を 包摂 するものといえる。さらに、このような考え方に基づく処理は、国際的な会計基準とのコンバージェンスにも資するものであるため、本会計基準では、 資産負債の両建処理 を求めることとした（第7項参照）。

(2) 資産除去債務の算定

6. 資産除去債務はそれが発生したときに、有形固定資産の除去に要する 割引前の将来キャッシュ・フロー を見積り、割引後の金額（割引価値）で算定する。

   (1) 割引前の将来キャッシュ・フローは、合理的で説明可能な仮定及び予測に基づく 自己の支出見積り による。その見積金額は、生起する 可能性の最も高い 単一の金額又は生起し得る複数の将来キャッシュ・フローをそれぞれの発生確率で 加重平均 した金額とする。将来キャッシュ・フローには、有形固定資産の除去に係る作業のために直接要する支出のほか、処分に至るまでの支出（例えば、保管や管理のための支出）も含める。

   (2) 割引率は、貨幣の時間価値 を反映した 無リスク の税引前の利率とする。

結論の背景

（資産除去債務の測定値の属性とそれに見合う割引率）

36. 資産除去債務の算定における割引前将来キャッシュ・フローについては、市場の評価 を反映した金額によるという考え方と、自己の支出見積り によるという考え方がある。また、割引率についても、無リスク の割引率が用いられる場合と 無リスク の割引率に 信用リスク を調整したものが用いられる場合が考えられる。当委員会では、割引前将来キャッシュ・フローの測定値の属性とそれに見合う割引率の組合せについて検討を行った。

37. （略）

38. 一方、自己の支出見積りによる場合には、原状回復における過去の実績や、有害物質等に汚染された有形固定資産の処理作業の標準的な料金の見積りなどを基礎とすることになると考えられ、（中略）自己の信用リスクは将来キャッシュ・フローの見積りには影響を与えないものと考えられる。

　　自己の支出見積りと市場の評価を反映した金額との間に生じ得る相違として、（中略）市場が想定する支出額（として企業が見積る金額）よりも自ら処理する場合の支出見積額の方が低い場合が考えられるが、現実には市場の想定する支出額というものが 客観的 に明らかでないことが多いため、実務的には大きな相違とはならないことが多いものと考えられる。また、仮に

市場が想定する支出額よりも自ら処理する場合の支出見積額の方が低い場合、自らの 効率性 による利益は、 履行時 に反映されるべきであるという考え方もあるが、企業の投資上、資産の除去は、通常、単独ではなく有形固定資産の 投資プロジェクトの一環 として行われるため、当該有形固定資産の 耐用年数 にわたり、その 効率性 を反映させていく方が妥当であると考えられる。

　以上のことから、本会計基準では、将来における 自己の支出見積り が資産除去債務の測定値の属性の基礎として適当であるものと判断した（第6項(1)参照）。

39. 割引前の将来キャッシュ・フローの見積金額には、生起する可能性の最も高い単一の金額 最頻値 又は生起し得る複数のキャッシュ・フローをそれぞれの発生確率で加重平均した金額 期待値 を用いる（第6項(1)参照）が、いずれにしても、将来キャッシュ・フローが見積値から乖離するリスクを勘案する必要がある。将来キャッシュ・フローが見積値から乖離するリスクは、減損会計基準注解（注6）で言及されているリスクと同じ性質のものであり、リスク選好がリスク回避型である一般の経済主体にとってマイナスの影響を有するものであるため、資産除去債務の見積額を増加させる要素となる。

40. 割引前の将来キャッシュ・フローとして、自己の信用リスクの影響が含まれていない支出見積額を用いる場合に、無リスクの割引率を用いるか、信用リスクを反映させた割引率を用いるかという点については、割引前の将来キャッシュ・フローに信用リスクによる加算が含まれていない以上、割引率も無リスクの割引率とすることが整合的であるという考え方がある。この考え方は、①退職給付債務 の算定においても無リスクの割引率が使用されていること、②同一の内容の債務について 信用リスクの高い 企業の方が 高い 割引率を用いることにより負債計上額が 少なくなる という結果は、財政状態 を適切に示さないと考えられること、③資産除去債務の性格上、自らの 不履行 の可能性を前提とする会計処理は、適当ではないこと、などの観点から支持されている。

　一方、信用リスクを反映させた割引率を用いるべきであるという意見は、まず、割引前の将来キャッシュ・フローの見積額に自己の信用リスクの影響を反映させている場合には整合的であるという理由による。また、割引前の将来キャッシュ・フローに信用リスクの影響が含まれていない場合であっても、翌期以降に 資金調達 と同様に利息費用を計上することを重視する観

点からは、信用リスクを反映させた割引率を用いる考え方がある。さらに、それが信用リスクに関わりなく生ずる支出額であるときには、信用リスクを反映させた割引率で割り引いた現在価値が負債の 時価 になると考えられることを論拠としている。

　しかし、これについては、資産除去債務の計上額の算定において信用リスクを反映させた割引率を用いるとすることに、前述した②や③の問題を上回るような利点があるのかどうか疑問がある。有利子負債やそれに準ずるものと考えられるリース債務と異なり、明示的な金利キャッシュ・フローを含まない債務である資産除去債務については、 退職給付債務 と同様に 無リスクの割引率 を用いることが現在の会計基準全体の体系と整合的であると考えられる。これらのことから、本会計基準においては、無リスクの割引率を用いるのが適当であると考えた（第6項(2)参照）。

(3) 資産除去債務に対応する除去費用の資産計上と費用配分

会計基準

7. 資産除去債務に対応する除去費用は、資産除去債務を 負債 として計上した時に、当該 負債の計上額 と同額を、関連する有形固定資産の 帳簿価額 に加える。

　資産計上された資産除去債務に対応する除去費用は、 減価償却 を通じて、当該有形固定資産の 残存耐用年数 にわたり、各期に 費用配分 する。

結論の背景

（資産除去債務に対応する除去費用の資産計上）

41. 資産除去債務を負債として計上する際、当該除去債務に対応する除去費用をどのように会計処理するかという論点がある。本会計基準では、債務として負担している金額を 負債 計上し、同額を有形固定資産の 取得原価 に反映させる処理を行うこととした。このような会計処理（資産負債の両建処理）は、有形固定資産の取得に付随して生じる除去費用の未払の債務を負債として計上すると同時に、対応する除去費用を当該有形固定資産の 取得原価 に含めることにより、当該資産への投資について 回収すべき額を引き上げる ことを意味する。すなわち、有形固定資産の除去時に不可避的に生じる支出額を 付随費用 と同様に 取得原価 に加えた上で 費用配分

を行い、さらに、 資産効率 の観点からも有用と考えられる情報を提供するものである。

42.　なお、資産除去債務に対応する除去費用を、当該資産除去債務の負債計上額と同額の資産として計上する方法として、当該除去費用の資産計上額が有形固定資産の稼動等にとって必要な 除去サービスの享受 等に関する何らかの 権利 に相当するという考え方や、将来提供される 除去サービスの前払い （長期前払費用）としての性格を有するという考え方から、資産除去債務に関連する有形固定資産とは区別して把握し、 別の資産 として計上する方法も考えられた。

　　しかし、当該除去費用は、 法律上の権利 ではなく 財産的価値 もないこと、また、独立して 収益獲得 に貢献するものではないことから、本会計基準では、 別の資産 として計上する方法は採用していない。当該除去費用は、有形固定資産の 稼動 にとって 不可欠 なものであるため、有形固定資産の取得に関する 付随費用 と同様に処理することとした（第7項参照）。

会計基準

（時の経過による資産除去債務の調整額の処理）

9.　時の経過による資産除去債務の調整額は、その 発生時の費用 として処理する。当該調整額は、 期首の負債の帳簿価額 に 当初負債計上時 の割引率を乗じて算定する。

結論の背景

（時の経過による資産除去債務の調整額の処理）

48.　時の経過による資産除去債務の調整額は、期首現在の負債の帳簿価額に負債計上時の割引率を乗じて算定し、 発生時の費用 として処理する（第9項参照）。この調整額は、退職給付会計における 利息費用 と同様の性格を有するものといえる。

（割引率の固定）

49.　割引率については、米国会計基準と同様に、変更を行わずに負債計上時の割引率を用いる方法によることとした。割引率を毎期見直すとした場合、毎期末において変更後の負債額を貸借対照表に反映させることになるが、このような負債の計上に割引率の変更を反映させることについては、他の負債の取扱いとの整合性に問題があるとの意見があった。また、割引率を負債計

上時の割引率に固定する方法は、 時の経過 によって一定の利息相当額を 配分 するものであり、関連する有形固定資産について減価償却という 費用配分 が行われることとも整合的であると考えられる。

3 開 示

重要度
★★

(1) 貸借対照表上の表示

会計基準

12. 資産除去債務は、貸借対照表日後1年以内にその履行が見込まれる場合を除き、 固定負債 の区分に 資産除去債務 等の適切な科目名で表示する。貸借対照表日後1年以内に資産除去債務の履行が見込まれる場合には、 流動負債 の区分に表示する。

(2) 損益計算書上の表示

会計基準

13. 資産計上された資産除去債務に対応する除去費用に係る費用配分額は、損益計算書上、当該資産除去債務に関連する有形固定資産の 減価償却費 と同じ区分に含めて計上する。

14. 時の経過による資産除去債務の調整額は、損益計算書上、当該資産除去債務に関連する有形固定資産の 減価償却費 と同じ区分に含めて計上する。

15. 資産除去債務の履行時に認識される資産除去債務残高と資産除去債務の決済のために実際に支払われた額との差額は、損益計算書上、原則として、当該資産除去債務に対応する除去費用に係る費用配分額と 同じ 区分に含めて計上する。

結論の背景

（損益計算書上の表示：時の経過による資産除去債務の調整額）

54. 時の経過による資産除去債務の調整額の損益計算書上の区分について、営

124

業費用又は営業外費用のいずれに含めるか検討を行った。時の経過による資産除去債務の調整額は、資産除去債務の履行に関する資金調達費用と見ることができるため、財務費用として営業外費用に含めることが適切であるという見方もある。また、国際財務報告基準においては財務費用としての処理を求めている。

55. しかしながら、時の経過による資産除去債務の調整額は、実際の 資金調達 活動による費用ではないこと、また、同種の計算により費用を認識している退職給付会計における 利息費用 が退職給付費用の一部を構成するものとして整理されていることを考慮し、本会計基準では、資産除去債務に係る費用は、時の経過による資産除去債務の調整額部分も含め、対象となる有形固定資産の 減価償却費 と同じ区分に含めて計上することがより適切であるとした（第14項参照）。

（損益計算書上の表示：資産除去債務の履行時に認識される差額）

56. 資産除去債務の履行時に認識される資産除去債務計上額と資産除去債務の決済のために実際に支払われた額との差額の損益計算書上の区分について、営業費用又は特別損益（又は営業外損益）のいずれに含めるか検討を行った。当該差額は、固定資産除却損と同様、営業費用に含めて処理するのは適切ではなく、また、過年度における見積りの誤差部分も多く含まれていることから、特別損益又は営業外損益として処理すべきであるとの見方もあった。

57. しかしながら、除去費用の総額が固定資産の利用期間にわたって配分され、将来キャッシュ・フローに重要な見積りの変更が生じた場合には資産除去債務の計上額が見直されることを前提とすれば、資産除去債務の履行時に認識される 差額 についても、固定資産の取得原価に含められて減価償却を通じて費用処理された 除去費用 と異なる性格を有するものではないといえる。

58. そのため、本会計基準では、資産除去債務計上額と実際の支出額との差額は、当該資産除去債務に対応する除去費用に係る費用配分額と 同じ 区分に含めて計上することを原則とした（第15項参照）。

なお、当初の除去予定時期よりも著しく早期に除去することとなった場合等、当該差額が異常な原因により生じたものである場合には、特別損益として処理することに留意する。

第11章

税効果会計に係る会計基準

最終改正　平成30年 2 月16日
（2021年 8 月12日最終修正）

税効果会計の目的　重要度 ★★★

　税効果会計は、企業会計上の｜資産又は負債｜の額と課税所得計算上の｜資産又は負債｜の額に｜相違｜がある場合において、法人税その他利益に関連する金額を課税標準とする税金（以下「｜法人税等｜」という。）の額を適切に｜期間配分｜することにより、｜法人税等を控除する前の当期純利益｜と｜法人税等｜を合理的に｜対応｜させることを目的とする手続である。(注1)

（注1） 法人税等の範囲

　　　法人税等には、法人税のほか、都道府県民税、市町村民税及び利益に関連する金額を課税標準とする事業税が含まれる。

意 見 書

二　税効果会計の適用の必要性

1　法人税等の課税所得の計算に当たっては企業会計上の利益の額が基礎となるが、企業会計と課税所得計算とはその目的を異にするため、収益又は費用（益金又は損金）の認識時点や、資産又は負債の額に相違が見られるのが一般的である。

　　このため、税効果会計を適用しない場合には、｜課税所得｜を基礎とした法人税等の額が費用として計上され、法人税等を控除する前の企業会計上の｜利益｜と｜課税所得｜とに差異があるときは、｜法人税等｜の額が法人税等を控除する前の｜当期純利益｜と期間的に｜対応｜せず、また、｜将来の法人税等の支払額｜に対する影響が表示されないことになる。

　　このような観点から、『財務諸表』の作成上、税効果会計を全面的に適用することが必要と考える。

2　税効果会計を適用すると、繰延税金資産及び繰延税金負債が貸借対照表に計上されるとともに、当期の法人税等として納付すべき額及び税効果会計の適用による法人税等の調整額が損益計算書に計上されることになる。

　　このうち、繰延税金資産は、将来の法人税等の支払額を｜減額｜する効果を有し、一般的には法人税等の｜前払額｜に相当するため、｜資産｜として

の性格を有するものと考えられる。また、繰延税金負債は、将来の法人税等の支払額を　増額　する効果を有し、法人税等の　未払額　に相当するため、　負債　としての性格を有するものと考えられる。

| 2 | 税効果会計に係る会計基準 | 重要度 ★★★ |

会計基準

一　一時差異等の認識

1　法人税等については、　一時差異　に係る税金の額を適切な会計期間に　配分　し、計上しなければならない。

2　　一時差異　とは、貸借対照表及び連結貸借対照表に計上されている　資産　及び　負債　の金額と課税所得計算上の　資産　及び　負債　の金額との差額をいう。

　　　一時差異　とは、例えば、次のような場合に生ずる。

　(1)　財務諸表上の一時差異

　　①　収益又は費用の　帰属年度　が相違する場合

　　②　資産の　評価替え　により生じた　評価差額　が直接資本の部に計上され、かつ、課税所得の計算に含まれていない場合

　(2)　連結財務諸表固有の一時差異

　　①　資本連結に際し、子会社の資産及び負債の　時価評価　により　評価差額　が生じた場合

　　②　連結会社相互間の取引から生ずる　未実現損益　を消去した場合

　　③　連結会社相互間の債権と債務の相殺消去により　貸倒引当金　を減額修正した場合

3　一時差異には、当該一時差異が　解消　するときにその期の課税所得を　減額する効果　を持つもの（以下「　将来減算一時差異　」という。）と、当該一時差異が　解消　するときにその期の課税所得を　増額する効果　を持つもの（以下「　将来加算一時差異　」という。）とがある。(注2)(注3)

4　将来の課税所得と相殺可能な　繰越欠損金　等については、一時差異と同様に取り扱うものとする（以下一時差異及び繰越欠損金等を総称して「一時

差異等」という。)。

二　繰延税金資産及び繰延税金負債等の計上方法

1　　一時差異　等に係る税金の額は、将来の会計期間において　回収　又は
　　支払　が見込まれない税金の額を除き、繰延税金資産又は繰延税金負債と
　して計上しなければならない。繰延税金資産については、将来の　回収　の
　見込みについて毎期見直しを行わなければならない。(注4)(注5)

2　　繰延税金資産又は繰延税金負債の金額は、　回収　又は　支払　が行われ
　ると見込まれる期の　税率　に基づいて計算するものとする。(注6)

3　　繰延税金資産と繰延税金負債の差額を期首と期末で比較した増減額は、当
　期に納付すべき法人税等の　調整額　として計上しなければならない。
　　　ただし、資産の評価替えにより生じた評価差額が直接資本の部に計上され
　る場合には、当該評価差額に係る繰延税金資産又は繰延税金負債を当該評価
　差額から控除して計上するものとする。(後略)

　　(注2) 将来減算一時差異について
　　　　将来減算一時差異は、例えば、貸倒引当金、退職給付引当金等の引当金の損金
　　　算入限度超過額、減価償却費の損金算入限度超過額、損金に算入されない棚卸資
　　　産等に係る評価損等がある場合のほか、連結会社相互間の取引から生ずる未実現
　　　利益を消去した場合に生ずる。

　　(注3) 将来加算一時差異について
　　　　将来加算一時差異は、例えば、利益処分により租税特別措置法上の諸準備金等
　　　を計上した場合のほか、連結会社相互間の債権と債務の消去により貸倒引当金を
　　　減額した場合に生ずる。

　　(注4) 繰延税金資産及び繰延税金負債の計上に係る重要性の原則の適用について
　　　　重要性が乏しい一時差異等については、繰延税金資産及び繰延税金負債を計上
　　　しないことができる。

　　(注5) 繰延税金資産の計上について
　　　　繰延税金資産は、将来減算一時差異が解消されるときに課税所得を減少させ、
　　　税金負担額を軽減することができると認められる範囲内で計上するものとし、そ
　　　の範囲を超える額については控除しなければならない。

　　(注6) 税率の変更があった場合の取扱いについて
　　　　法人税等について税率の変更があった場合には、過年度に計上された繰延税金
　　　資産及び繰延税金負債を新たな税率に基づき再計算するものとする。

意 見 書

三 「税効果会計に係る会計基準」の概要

税効果会計の方法には繰延法と資産負債法とがあるが、本会計基準では、 資産負債法 によることとし、次のような基準を設定することとする。

1 一時差異 （貸借対照表上の 資産 及び 負債 の金額と課税所得計算上の 資産 及び 負債 の金額との差額）に係る税金の額を適切な会計期間に配分し、計上するものとする。また、将来の課税所得と相殺可能な 繰越欠損金 等については、一時差異と同様に取り扱う。

2 一時差異には、当該一時差異が解消するときに税務申告上その期の課税所得を減額させる効果を持つもの（ 将来減算一時差異 ）と、当該一時差異が解消するときに税務申告上その期の課税所得を増額させる効果を持つもの（ 将来加算一時差異 ）とがある。

将来減算一時差異に係る繰延税金資産及び将来加算一時差異に係る繰延税金負債の金額は、 回収 又は 支払い が行われると見込まれる期の 税率 に基づいて計算するものとする。

3 法人税等について税率の変更があった場合には、 過年度 に計上された繰延税金資産及び繰延税金負債を 新たな税率 に基づき 再計算 するものとする。また、繰延税金資産については、将来の支払税金を 減額 する効果があるかどうか、すなわち、将来の 回収見込み について毎期見直しを行うものとする。税務上の繰越欠損金については、繰越期間内に課税所得が発生する可能性が低く、繰越欠損金を控除することができると認められない場合は相当額を控除する。

4 繰延税金資産と繰延税金負債の差額を期首と期末で比較した増減額は、当期に納付すべき法人税等の 調整額 として計上しなければならない。

ただし、資産の評価替えにより生じた評価差額が直接資本の部に計上される場合には、当該評価差額に係る繰延税金資産又は繰延税金負債を当該評価差額から控除して計上するものとする。（後略）

第11章 税効果会計に係る会計基準

3 繰延税金資産及び繰延税金負債等の表示方法

重要度 ★

会計基準

1. 繰延税金資産は 投資その他の資産 の区分に表示し、繰延税金負債は 固定負債 の区分に表示する。

2. 同一納税主体の繰延税金資産と繰延税金負債は、双方を相殺して表示する。異なる納税主体の繰延税金資産と繰延税金負債は、双方を相殺せずに表示する。

3. 当期の法人税等として納付すべき額及び法人税等調整額は、法人税等を控除する前の 当期純利益 から控除する形式により、それぞれ区分して表示しなければならない。

結論の背景 （『税効果会計に係る会計基準』の一部改正）

12. 本会計基準による改正前の税効果会計基準 第三 1.では、「繰延税金資産及び繰延税金負債は、これらに関連した資産・負債の分類に基づいて、繰延税金資産については 流動資産 又は 投資その他の資産 として、繰延税金負債については 流動負債 又は 固定負債 として表示しなければならない。ただし、特定の資産・負債に関連しない繰越欠損金等に係る繰延税金資産については、翌期に解消される見込みの一時差異等に係るものは流動資産として、それ以外の一時差異等に係るものは投資その他の資産として表示しなければならない。」とされていた。

13. これに対し、国際財務報告基準（IFRS）では、国際会計基準（IAS）第1号「財務諸表の表示」（以下「IAS第1号」という。）において、繰延税金資産（負債）を財政状態計算書に表示する場合、流動資産（負債）として分類してはならないとされている。また、米国会計基準では、平成27年11月に、FASB Accounting Standards Codification（米国財務会計基準審議会による会計基準のコード化体系）のTopic740「法人所得税」が改正され、繰延税金資産又は繰延税金負債を非流動区分に表示するとされている。

15. この点、繰延税金資産及び繰延税金負債を、これらに関連した資産及び負債の分類に基づいて流動又は非流動区分に表示するという現行の取扱いは、一時差異等に 関連した資産 及び 負債 と、その税金費用に関する資産

及び負債（当該一時差異等に係る 繰延税金資産 及び 繰延税金負債 ）が 同時 に取り崩されるという特徴を踏まえており、 同一 の区分に表示することに一定の論拠があると考えられる。

　一方、繰延税金資産は 換金性のある資産 ではないことや、 決算日後 に税金を納付する我が国においては、1年以内に解消される一時差異等について、 1年以内 にキャッシュ・フローは生じないことを勘案すると、すべてを 非流動区分 に表示することにも一定の論拠があると考えられる。

17. 我が国の会計基準の取扱いを 国際的な会計基準 に整合させることは、一般的に、財務諸表の 比較可能性 が向上することが期待され、財務諸表利用者に一定の便益をもたらすと考えられる。流動又は非流動区分に表示する取扱いもすべてを非流動区分に表示する取扱いも一定の論拠があることや、すべてを非流動区分に表示する場合、財務諸表作成者の負担が 軽減 されることに加え、我が国の東京証券取引所市場第一部に上場している企業を対象にデータ分析を行った範囲では、変更による 流動比率 に対する影響は限定的であり財務分析に影響が生じる企業は多くないと考えられることも勘案し、繰延税金資産又は繰延税金負債の表示については 国際的な会計基準 に整合させ、すべてを 非流動区分 に表示することとした。

第12章

企業結合に関する会計基準

最終改正　平成31年1月16日

（2022年7月1日最終修正）

1 用語の定義

重要度 ★★

会計基準

4.（略）

5.「企業結合」とは、ある 企業 又はある企業を構成する 事業 と他の 企業 又は他の企業を構成する 事業 とが 1つの報告単位 に統合されることをいう。なお、複数の取引が１つの企業結合を構成している場合には、それらを一体として取り扱う。

6.〜8.（略）

9.「取得」とは、ある企業が他の企業又は企業を構成する事業に対する 支配 を獲得することをいう。

10.「取得企業」とは、ある企業又は企業を構成する事業を 取得 する企業をいい、当該取得される企業を「 被取得企業 」という。

11.「共同支配企業」とは、複数の独立した企業により 共同で支配 される企業をいい、「共同支配企業の形成」とは、複数の独立した企業が 契約 等に基づき、当該共同支配企業を形成する企業結合をいう。

12.（略）

13.「結合当事企業」とは、企業結合に係る企業をいい、このうち、他の企業又は他の企業を構成する事業を受け入れて対価（現金等の財産や自社の株式）を支払う企業を「結合企業」、当該他の企業を「被結合企業」という。また、企業結合によって統合された１つの報告単位となる企業を「結合後企業」という。

14.,15.（略）

16.「 共通支配下 の取引」とは、結合当事企業（又は事業）のすべてが、企業結合の前後で同一の株主により最終的に支配され、かつ、その支配が一時的ではない場合の企業結合をいう。親会社と子会社の合併及び子会社同士の合併は、共通支配下の取引に含まれる。

2 基本的な考え方　重要度 ★★★

結論の背景

基本的な考え方

66. 企業結合とは、ある 企業 又はある企業を構成する 事業 と他の 企業 又は他の企業を構成する 事業 とが 1つの報告単位 に統合されることをいう（第5項参照）。本会計基準では、企業結合に該当する取引を対象とするため、 共同支配企業 とよばれる企業体を形成する取引及び 共通支配下の取引 等も本会計基準の適用対象となる。また、企業結合は、一般的には連結会計基準にいう他の企業の 支配の獲得 も含むため、現金を対価とする子会社株式の取得の場合についても、連結会計基準に定めのない企業結合に関する事項については、本会計基準の適用対象となる。

　なお、複数の取引が1つの企業結合を構成している場合には、それらを一体として取り扱うことに留意する（第5項参照）。通常、複数の取引が1事業年度内に完了する場合には一体として取り扱うことが適当であると考えられるが、1つの企業結合を構成しているかどうかは状況によって異なるため、当初取引時における当事者間の意図や当該取引の目的等を勘案し、実態に応じて判断することとなる。

67. 企業結合には「 取得 」と「 持分の結合 」という 異なる経済的実態 を有するものが存在し、それぞれの 実態 に対応する適切な会計処理方法を適用する必要があるとの考え方がある。この考え方によれば、まず「 取得 」に対しては、ある企業が他の企業の 支配を獲得 することになるという 経済的実態 を重視し、 パーチェス法 により会計処理することになる。これは、企業結合の多くは、実質的にはいずれかの結合当事企業による 新規の投資 と同じであり、交付する 現金 及び 株式 等の 投資額 を取得価額として他の結合当事企業から受け入れる 資産 及び 負債 を評価することが、現行の 一般的な会計処理 と整合するからである。

68. 他方、企業結合の中には、いずれの結合当事企業も他の結合当事企業に対する 支配を獲得 したとは合理的に判断できない「 持分の結合 」がある。「 持分の結合 」とは、いずれの企業（又は事業）の株主（又は持分保有者）

も他の企業（又は事業）を 支配 したとは認められず、結合後企業の リスク や 便益 を引き続き相互に 共有 することを達成するため、それぞれの事業のすべて又は事実上のすべてを統合して 1つの報告単位 となることをいい、この「 持分の結合 」に対する会計処理としては、対応する資産及び負債を 帳簿価額 で引き継ぐ会計処理が適用される。この考え方は、いずれの結合当事企業の持分も 継続 が断たれておらず、いずれの結合当事企業も 支配を獲得 していないと判断される限り、企業結合によって投資の リスク が変質しても、その変質によっては個々の投資の リターン は実現していないとみるものであり、現在、ある種の 非貨幣財同士の交換 を会計処理する際にも適用されている 実現 概念に通ずる基本的な考え方でもある。

69. 平成15年会計基準では、第67項及び前項のように、「 取得 」と「 持分の結合 」という異なる 経済的実態 を有する企業結合について、別々の会計処理方法を適用するという考え方に立っていた。ただし、 持分の継続 、 非継続 自体は相対的な概念であり、具体的に明確な事実として観察することは困難な場合が多いことから、平成15年会計基準では、持分の継続を「 対価の種類 」と「 支配 」という２つの観点から判断することとしていた。具体的には、①企業結合に際して支払われた対価のすべてが、原則として、 議決権のある株式 であること、②結合後企業に対して各結合当事企業の株主が総体として有することになった 議決権比率 が等しいこと、③議決権比率以外の 支配関係 を示す一定の事実が存在しないこと、という３つの要件をすべて満たせば持分は 継続 していると判断し、そのような企業結合に対しては 持分プーリング法 を適用することとしていた。これは、取得企業を識別できない場合を 持分の結合 と判定する方法とは異なり、異なる経済的実態を有する取得と持分の結合のうち、 持分の結合 を積極的に識別し、それ以外の企業結合を 取得 と判定するアプローチであった。

70. 「 取得 」又は「 持分の結合 」のいずれの 経済的実態 を有するかどうかという観点から、すべての企業結合の会計処理方法を平成15年会計基準において整理したことの意義は、平成20年改正会計基準においても尊重している。しかしながら、「 持分の結合 」に該当する場合の会計処理方法の１つである 持分プーリング法 については、我が国の会計基準と国際的な会計基準の間の差異の象徴的な存在として取り上げられることが多く、我が国の会計基準に対する国際的な評価の面で大きな障害になっているともいわれてい

る。また、我が国の会計基準に対する国際的な評価のいかんは、直接海外市場で資金調達をする企業のみならず、広く我が国の資本市場や日本企業に影響を及ぼすと考えられる。そこで、平成20年改正会計基準ではそれらの影響も比較衡量して、会計基準の ［コンバージェンス］ を推進する観点から、従来「［持分の結合］」に該当した企業結合のうち、共同支配企業の形成以外の企業結合については ［取得］ となるものとして、［パーチェス法］ により会計処理を行うこととした（第17項参照）。この結果、［持分プーリング法］ は廃止されることとなった。

71. また、平成15年会計基準では、共同支配企業の形成の会計処理方法についても定めていた。共同支配企業は我が国においては合弁会社とよばれる場合もあり、その形成は、共同新設分割による新会社の設立、同一事業を専業とする子会社同士の合併など様々な形式がとられる。平成20年改正会計基準では、企業結合の会計処理として持分プーリング法を適用しないこととしたものの、持分の結合の考え方は存在しているため、それに該当する共同支配企業の形成の会計処理までをも否定するものではない。また、共同支配企業の形成については、国際的な会計処理においてもこれと同様のものが求められている。このため、共同支配企業の形成に係る共同支配企業の会計処理方法については、平成20年改正会計基準においても、平成15年会計基準の取扱いを変更していない。

72. なお、結合当事企業が結合後企業に拠出するという想定が根拠とされることも多い ［フレッシュ・スタート法］（すべての結合当事企業の資産及び負債を企業結合時の ［時価］ に評価替えする方法）についても、平成15年会計基準では諸外国の動向等を踏まえて慎重に検討された。そこでは、［フレッシュ・スタート法］ の採用に合理性が認められるためには、［新設合併］ のようにすべての結合当事企業がいったん解散し、すべての株主の持分が清算された上で、新たに設立された企業へ拠出するという経済的実態が必要であると考えられること、また、諸外国における企業結合の会計処理をめぐる議論において選択肢の１つとして言及されてはいるものの、その方法を適用することが適切と考えられる事象やその根拠等が必ずしも明確ではない現況等を勘案し、企業結合の会計処理方法として ［フレッシュ・スタート法］ を採用しないこととした。平成20年改正会計基準でもこの考え方を引き継いでいるが、今後、［フレッシュ・スタート法］ が諸外国において企業結合の会計処理方法として採用された場合などには、［フレッシュ・スタート法］ の要否を検討する必要性が生じることも考えられる。

取得と持分の結合の考え方
持分の継続

73. 従来から、企業結合には 「取得」 と 「持分の結合」 があり、それぞれ異なる 経済的実態 を有するといわれてきた。企業結合が取得と判断されれば、取得企業の資産及び負債はその 帳簿価額 で企業結合後もそのまま引き継がれるのに対して、被取得企業の資産及び負債は 時価 に評価替えされる。他方、企業結合が持分の結合と判断されるのであれば、すべての結合当事企業の資産及び負債はその 帳簿価額 で企業結合後もそのまま引き継がれる。このような相違が生じるのは、持分の継続が断たれた側では、投資家はそこでいったん投資を 清算 し、改めて当該資産及び負債に対して 投資 を行ったと考えられるのに対して、持分が継続している側では、これまでの投資がそのまま 継続 していると考えられるからに他ならない。取得の場合には、取得企業の持分は 継続 しているが、被取得企業の持分はその継続を 断たれた とみなされている。他方、持分の結合の場合には、すべての結合当事企業の持分は 継続 しているとみなされている。このように、 持分の継続・非継続 により取得と持分の結合は識別され、それぞれに対して異なる会計処理が使い分けられてきた。

74. これを企業の 損益計算 の観点からいえば、次のようになる。持分の継続が断たれてしまえば、そこで投資家はいったん投資を 清算 し、改めて当該資産及び負債に対して 投資 を行い、それを取得企業に 現物で出資 したと考えられる。したがって、 再投資額 が結合後企業にとっての新たな投資原価となるが、それは企業結合時点での資産及び負債の 時価 に他ならない。そのような投資原価を超えて回収できれば、その超過額が企業にとっての 利益 である。これに対して、持分が継続しているならば、そこでは投資の 清算 と 再投資 は行われていないのであるから、結合後企業にとっては企業結合前の 帳簿価額 がそのまま投資原価となる。この投資原価を超えて回収できれば、その超過額が企業にとっての 利益 である。このように、持分の継続・非継続は、企業にとっては 投資原価の回収計算 の違いを意味している。

75. 取得と持分の結合は、このように異なる経済的実態を有していると考えられるため、本来、それぞれを映し出すのに適した会計処理を使い分けることが必要となる。いずれかの結合当事企業において持分の継続が断たれていると判断されるならば対応する資産及び負債を 時価 で引き継ぐ方法が、また、すべての結合当事企業において持分が継続していると判断されるならば

対応する資産及び負債を 帳簿価額 で引き継ぐ方法が、企業にとっての 投資原価の回収計算 すなわち 損益計算 の観点から優れている。平成20年改正会計基準においては、 持分プーリング法 を採らないこととしたものの、このような考え方については踏襲している。

共同支配企業の形成

76. 平成15年会計基準では、共同支配企業の形成を対象としないことも考慮したが、その場合、共同支配企業か否かという企業形態の違いにより対象範囲を区別することになり、そこに裁量の働く余地が残ることになると考え、共同支配企業の形成も企業結合の定義に含め、それ以外の企業結合と一貫した考え方を適用することとしていた。平成20年改正会計基準でもこの考え方を踏襲しており、 持分の結合 にあたる共同支配企業の形成については、移転する資産及び負債を 帳簿価額 で引き継ぐこととしている（第38項参照）。また、このような会計処理は、国際的な会計基準においても同様に認められているものである。

　なお、共同支配企業の形成か否かの判定については、共同支配となる 契約 等を締結していることが必要とされている。したがって、結合当事企業の一方が 支配を獲得 していると判定されれば、この企業結合は本会計基準にいう共同支配企業の形成には該当しない 取得 とみなし、支配を獲得していると判定された企業を 取得 企業として パーチェス法 を適用することになる。

3 取得の会計処理

重要度 ★★★

(1) 取得の会計処理

会計基準

17. 共同支配企業の形成（第11項参照）及び共通支配下の取引（前項参照）以外の企業結合は 取得 となる。また、この場合における会計処理は、次項から第36項による（以下、次項から第33項による会計処理を「 パーチェス法 」という。）。

取得原価の算定

23. 被取得企業又は取得した事業の 取得原価 は、原則として、 取得の対価 （ 支払対価 ）となる財の企業結合日における 時価 で算定する。 支払対価 が現金以外の資産の引渡し、負債の引受け又は株式の交付の場合には、 支払対価 となる財の 時価 と被取得企業又は取得した事業の時価のうち、より高い 信頼性 をもって測定可能な時価で算定する。

84. 取得とされた企業結合における取得原価の算定は、一般的な 交換取引 において資産の取得原価を算定する際に適用されている一般的な考え方によることが整合的である。一般的な 交換取引 においては、その交換のために支払った対価となる財の 時価 は、通常、受け入れた資産の 時価 と等価であると考えられており、取得原価は対価の形態にかかわらず、支払対価となる財の 時価 で算定される。すなわち、交換のための支払対価が現金の場合には 現金支出額 で測定されるが、支払対価が現金以外の資産の引渡し、負債の引受け又は株式の交付の場合には、支払対価となる財の 時価 と受け入れた資産の 時価 のうち、より高い 信頼性 をもって測定可能な 時価 で測定されるのが一般的である。したがって、公開企業が自己の株式を交付して非公開企業を取得した場合には、通常、その公開企業株式の 時価 の方が非公開企業の 時価 よりも高い 信頼性 をもって測定できることから、取得原価は公開企業株式の 時価 を基礎にして算定されることになる。

(3) **のれん**

① **のれん及び負ののれんの計上**

31. 取得原価が、受け入れた資産及び引き受けた負債に 配分 された 純額 を上回る場合には、その 超過額 は のれん として次項に従い会計処理し、下回る場合には、その 不足額 は 負ののれん として第33項に従い会計処理する。

② のれんの会計処理

【会計基準】

32. のれんは、資産 に計上し、20年以内のその効果の及ぶ期間 にわたって、定額法その他の合理的な方法により 規則的に償却 する。ただし、のれんの金額に重要性が乏しい場合には、当該のれんが生じた事業年度の費用として処理することができる。

【結論の背景】

105. のれんの会計処理方法としては、その効果の及ぶ期間にわたり「規則的な償却を行う」方法と、「規則的な償却を行わず、のれんの価値が損なわれた時に減損処理を行う」方法が考えられる。「規則的な償却を行う」方法によれば、企業結合の成果たる 収益 と、その対価の一部を構成する 投資消去差額の償却 という 費用 の 対応 が可能になる。また、のれんは 投資原価 の一部であることに鑑みれば、のれんを規則的に償却する方法は、投資原価 を超えて回収された 超過額 を企業にとっての 利益 とみる考え方とも首尾一貫している。さらに、企業結合により生じたのれんは 時間の経過 とともに 自己創設のれん に入れ替わる可能性があるため、企業結合により計上したのれんの非償却による 自己創設のれん の実質的な 資産計上 を防ぐことができる。のれんの 効果の及ぶ期間 及びその 減価 のパターンは合理的に予測可能なものではないという点に関しては、価値が 減価 した部分の金額を継続的に把握することは困難であり、かつ煩雑であると考えられるため、ある事業年度において 減価 が全く認識されない可能性がある方法よりも、一定の期間にわたり規則的な償却を行う方が合理的であると考えられる。また、のれんのうち価値の 減価 しない部分の存在も考えられるが、その部分だけを合理的に分離することは困難であり、分離不能な部分を含め「規則的な償却を行う」方法には一定の合理性があると考えられる。

106. 一方、「規則的な償却を行わず、のれんの価値が損なわれた時に減損処理を行う」方法は、のれんが 超過収益力 を表わすとみると、競争の進展 によって通常はその価値が 減価 するにもかかわらず、競争の進展に伴うのれんの価値の 減価 の過程を無視することになる。また、超過収益力 が維持されている場合においても、それは企業結合後の 追加的な投資 や企業の 追加的努力 によって補完されているにもかかわらず、のれ

んを償却しないことは、上述のとおり ⌜追加投資⌟ による ⌜自己創設のれん⌟ を計上することと実質的に等しくなるという問題点がある。実務的な問題としては、減損処理を実施するためには、のれんの価値の評価方法を確立する必要があるが、そのために対処すべき課題も多い。

107. 平成15年会計基準では、こうした議論を踏まえ「規則的な償却を行わず、のれんの価値が損なわれた時に減損処理を行う」方法に対し、「規則的な償却を行う」方法に一定の合理性があることや、子会社化して連結する場合と資産及び負債を直接受け入れ当該企業を消滅させた場合との経済的な ⌜同一性⌟ に着目し、正の値であるのれんと ⌜投資消去差額⌟ の会計処理との整合性を図るなどの観点から、規則的な償却を採用した。また、その償却期間についても、平成9年連結原則の連結調整勘定の償却に係る考え方を踏襲し、⌜20年以内⌟ のその ⌜効果の及ぶ期間⌟ にわたって償却することとした（第32項参照）。

108. なお、のれんは「固定資産の減損に係る会計基準」（平成14年8月 企業会計審議会）の適用対象資産となることから、規則的な償却を行う場合においても、「固定資産の減損に係る会計基準」に従った減損処理が行われることになる。このような「規則的な償却を行う」方法と、「規則的な償却を行わず、のれんの価値が損なわれた時に減損処理を行う」方法との選択適用については、⌜利益操作⌟ の手段として用いられる可能性もあることから認めないこととした。

109. （略）

③ 負ののれんの会計処理

会計基準

33. 負ののれんが生じると見込まれる場合には、次の処理を行う。ただし、負ののれんが生じると見込まれたときにおける取得原価が受け入れた資産及び引き受けた負債に配分された純額を下回る額に重要性が乏しい場合には、次の処理を行わずに、当該下回る額を当期の利益として処理することができる。

(1) 取得企業は、すべての識別可能資産及び負債（第30項の負債を含む。）が把握されているか、また、それらに対する取得原価の配分が適切に行われているかどうかを ⌜見直す⌟。

(2) (1)の ⌜見直し⌟ を行っても、なお取得原価が受け入れた資産及び引き受けた負債に配分された純額を下回り、負ののれんが生じる場合には、当該

　負ののれんが生じた事業年度の $\boxed{利益}$ として処理する。

結論の背景

110.　負ののれんの会計処理方法としては、想定される負ののれんの $\boxed{発生原}$ $\boxed{因}$ を特定し、その $\boxed{発生原因}$ に対応した会計処理を行う方法や、正の値であるのれんの会計処理方法との $\boxed{対称性}$ を重視し、$\boxed{規則的な償却}$ を行う方法が考えられる。

　　想定される $\boxed{発生原因}$ に対応した会計処理を行う方法には、企業結合によって受け入れた非流動資産に負ののれんを比例的に配分し、残額が生じれば繰延利益若しくは発生時の利益として計上する方法、又は、全額を $\boxed{認識}$ $\boxed{不能な項目}$ や $\boxed{バーゲン・パーチェス}$ とみなし発生時の利益として計上する方法等が含まれる。

　　非流動資産に比例的に配分する方法の基となる考え方には、負ののれんの発生は、パーチェス法の適用時における識別可能資産の取得原価を決定する上での不備によるものとみなし、この過程で測定を誤る可能性の高い資産から比例的に控除することが妥当であるとみるものがある。一方、$\boxed{発生時}$ に $\boxed{利益計上}$ する方法は、$\boxed{識別可能資産}$ の $\boxed{時価}$ の算定が適切に行われていることを前提にした上で、負ののれんの発生原因を $\boxed{認識不能な項}$ $\boxed{目}$ や $\boxed{バーゲン・パーチェス}$ であると位置付け、現実には $\boxed{異常}$ かつ発生の可能性が $\boxed{低い}$ ことから、$\boxed{異常利益}$ としての処理が妥当であると考えるものである。また、異常利益として処理することを求める（経常的な利益とはならない）ことは、時価の算定を適切に行うインセンティブになるという効果もあるといわれている。

111.　平成15年会計基準では、想定された発生原因に合理性を見出すことは困難な場合が多いとして、取得後短期間で発生することが予想される費用又は損失について、その発生の可能性が取得の対価の算定に反映されている場合には、その発生原因が明らかなことから、取得原価の配分の過程で負債として認識されるものと考え、残額については、承継した資産の取得原価の総額を調整する要素とみて、正の値であるのれんと対称的に、規則的な償却を行うこととしていた。

　　一方、現行の国際的な会計基準では、負ののれんは発生原因が特定できないものを含む算定上の差額としてすべて一時に利益認識することとしている。これは、のれんは資産として計上されるべき要件を満たしているものの、負ののれんは負債として計上されるべき要件を満たしていないことによる帰

結と考えられる。

　平成20年改正会計基準では、平成20年までの短期コンバージェンス・プロジェクトとして国際的な会計基準の考え方を斟酌した結果、従来の取扱いを見直し、負ののれんが生じると見込まれる場合には、まず、取得企業は、すべての｜識別可能資産及び負債｜（第30項の負債を含む。）が把握されているか、また、それらに対する｜取得原価の配分｜が適切に行われているかどうかを｜見直す｜こととした。次に、この｜見直し｜を行っても、なお取得原価が受け入れた資産及び引き受けた負債に配分された純額を｜下回る｜場合には、当該不足額を｜発生｜した事業年度の｜利益｜として処理することとした（第33項参照）。

第13章

事業分離等に関する会計基準

最終改正　平成25年9月13日

（平成31年1月16日最終修正）

1 用語の定義

重要度 ★★

4.「事業分離」とは、ある企業を構成する 事業 を他の企業（新設される企業を含む。）に 移転 することをいう。なお、複数の取引が1つの事業分離を構成している場合には、それらを一体として取り扱う。

5.「分離元企業」とは、事業分離において、当該企業を構成する事業を 移転する企業 をいう。

6.「分離先企業」とは、事業分離において、分離元企業からその事業を 受け入れる企業 （新設される企業を含む。）をいう。

事業分離

62. 事業分離は、 会社分割 や 事業譲渡 、 現物出資 等の形式をとり、 分離元企業 が、その事業を 分離先企業 に移転し対価を受け取る。 分離元企業 から移転された事業と 分離先企業 （ただし、新設される企業を除く。）とが 1つの報告単位 に統合されることになる場合の事業分離は、 企業結合 （企業結合会計基準第5項）でもある。この場合には、分離先企業は結合企業にあたり、 事業分離日 と 企業結合日 とは同じ日となる。

　なお、複数の取引が1つの事業分離又は企業結合を構成している場合には、それらを一体として取り扱うことに留意する（この点については、第4項及び企業結合会計基準第5項を参照のこと）。通常、複数の取引が1事業年度内に完了する場合には、一体として取り扱うことが適当であると考えられるが、1つの事業分離又は企業結合を構成しているかどうかは状況によって異なるため、当初取引時における当事者間の意図や当該取引の目的等を勘案し、実態に応じて判断することとなる。

会計処理の考え方 　重要度 ★★★

結論の背景

企業結合会計基準における持分の継続

67. 一般的な会計処理においては、企業と外部者との間で財を受払いした場合、企業の支払対価が現金及び現金等価物のときには、 購入 （ 新規の投資 ）の会計処理が行われ、企業の受取対価が現金及び現金等価物のときには、 売却 （ 投資の清算 ）の会計処理が行われる。また、企業と外部者との間で現金及び現金等価物以外の財と財とが受払いされたときには、 交換 の会計処理が行われる。

　しかしながら、企業結合においては、企業と外部者の間の取引ではなく、 企業自体 が取引の対象となる場合があるため、必ずしも一般的な会計処理のように 企業 の観点からは判断できず、この場合には、 総体としての株主 にとっての投資が継続しているかどうかを判断せざるを得ない。このため、企業結合会計基準は、結合当事企業に対する 総体としての株主 の観点から、持分の継続が断たれた側では、いったん投資を 清算 し、改めて当該資産及び負債に対して 投資 を行ったと考えられるものとし、持分が継続している側では、これまでの投資がそのまま 継続 していると考えられるものとしている。

68. 企業結合会計基準では、 持分プーリング法 を廃止することとしたものの、持分の継続か非継続かという概念を用いて企業結合を整理している。すなわち、企業結合には、取得企業の持分は 継続 しているが被取得企業の持分はその継続が断たれたとみなされる「 取得 」と、すべての結合当事企業の持分が継続しているとみなされる「 持分の結合 」という異なる経済的実態を有するものが存在するとし、「取得」に対しては対応する資産及び負債を 時価 で引き継ぐ方法により、「持分の結合」に対しては対応する資産及び負債を 帳簿価額 で引き継ぐ方法により会計処理することが考えられる（企業結合会計基準第75項）。これらは、一般的な会計処理に照らせば、次のように考えられる（この点については、企業結合会計基準第74項を参照のこと）。

(1)　「取得」と判定された場合に用いられる方法は、 購入 （ 新規の投

資 ）の会計処理に該当する。また、企業の損益計算の観点からいえば、企業結合時点での資産及び負債の 時価 を新たな 投資原価 とし、そのような投資原価を 超えて回収 できれば、その 超過額 が企業にとっての 利益 となる。

(2) 「持分の結合」と判定された場合に用いられる方法は、ある種の 非貨幣財同士の交換 の会計処理に該当する。また、企業の損益計算の観点からいえば、 投資の清算と再投資 は行われていないのであるから、結合後企業にとっては企業結合直前の 帳簿価額 がそのまま 投資原価 となり、この投資原価を 超えて回収 できれば、その超過額が企業にとっての 利益 となる。

持分の継続と分離元企業の会計処理及び結合当事企業の株主に係る会計処理の考え方

69. 企業結合会計基準において示されている「 持分の継続・非継続 」という考え方は、企業結合の会計処理に固有のものではなく、むしろ一般に事業の成果をとらえる際の 投資の継続・清算 とも整合した概念であり、実現概念に通ずる考え方（第71項参照）である（企業結合会計基準第67項及び第68項）。すなわち、第67項で示されたように、企業結合には、 企業自体 が取引の対象となる場合があり、 総体としての株主 にとっての投資が継続しているかどうかを判断せざるを得ないときがあるため、その特徴を踏まえ、企業結合の会計処理を、結合当事企業にとって一般的な会計処理と整合することができるように考えられたのが「 持分の継続・非継続 」という概念である。このため、企業結合における結合企業の会計処理のみならず、分離元企業や結合当事企業の株主も合わせた組織再編の会計処理を、同じ考え方に沿って統一的に行うことが考えられる。

70. 「 持分の継続・非継続 」の基礎になっている考え方、すなわち、一般に事業の成果をとらえる際の 投資の継続・清算 という概念によって整理すれば、 分離元企業 の会計処理及び 結合当事企業の株主 に係る会計処理は、次のように考えられる。

(1) 売却や異種資産の交換の会計処理に見られるように、いったん 投資を清算 したとみて 移転損益 や 交換損益 を認識するとともに、改めて時価にて投資を行ったとみる場合

　　この場合には、事業分離時点や交換時点での 時価 が新たな投資原価となり、その後の損益計算の観点からは、そのような投資原価を超えて回収できれば、その超過額が企業にとっての 利益 となる。

(2) 同種資産の交換の会計処理に見られるように、これまでの投資がそのまま 継続 しているとみて、 移転損益 や 交換損益 を認識しない場合

　　この場合には、事業分離や株式の交換によっても 投資の清算と再投資 は行われていないとみるため、移転や交換直前の 帳簿価額 がそのまま投資原価となり、その後の損益計算の観点からは、この投資原価を超えて回収できれば、その超過額が企業にとっての 利益 となる。

71. 投資の継続・清算 という概念は、投資が実際に続いているのか終了したのかということではなく、会計上の利益計算において観念的に用いられている考え方であり、実現概念とも表裏の関係をなしている。実現概念の核心や本質をどこに見出すのかについては、これまでにもさまざまな議論が繰り返されてきたが、投資から得られる成果がその主要な リスクから解放 されたかどうかに着目する考え方は、比較的有力なものと思われる。

　　事業投資に係る利益の計算においては、当該事業投資の担い手たる企業の期待（投資額を上回る資金の獲得）がどれだけ 事実 へと転化したのかに着目して成果をとらえることが適当である。ただし、 事実 への転化は、必ずしも資金それ自体の流入を意味するわけではなく、将来の環境変化や経営者の努力に成果の大きさが左右されなくなった場合や、企業が従来負っていた成果の変動性（すなわち事業投資のリスク）を免れるようになった場合には、投資は 清算 されたものとみなされ、事業投資の 成果 は確定したものといい得る。

　　このため、損益計算の観点からは、分離元企業や結合当事企業の株主にとって、事業分離や企業結合により従来の事業投資の 成果 が確定したものといえるのかどうかを考察することとなる。

72. 企業結合会計基準では、企業結合に該当する取引を対象とし、結合企業（分離先企業）を中心に結合当事企業の会計処理を定めている。結合企業（分離先企業）が、移転する事業に係る資産及び負債の移転直前の適正な帳簿価額を引き継ぐ場合、原則として、分離元企業が対価として受け取る分離先企業の株式等の取得原価は、当該適正な 帳簿価額 となるため、 移転損益 は生じないと考えられる。

　　一方、結合企業（分離先企業）が、取引時点の取得の対価となる財の時価をもって取得原価とする場合でも、必ずしも、分離元企業が対価として受け取る分離先企業の株式等の取得原価をその 時価 とし、 移転損益 を認識することとなるとは限らない。これは、一般的な売買又は交換取引におい

ても、例えば、売却代金の回収リスクが相当程度ある場合や売却後に重要な継続的関与がある場合のように、資産の譲受者が新規の購入として取得の対価となる財の時価をもって取得原価とする場合でも、それによって必ず資産の譲渡者が投資の清算として実現損益を認識するとは限らないことにも見られるものである。また、総体としての株主にとっての投資が継続しているかどうかの観点から、企業結合が取得又は持分の結合と判定されたことをもって、結合当事企業の個々の株主に係る会計処理が必ずしも決まるわけではない。これらは、各企業の会計処理が、取引の相手企業の会計処理と常に対称となるわけではなく、個々の企業の判断によって行われていることから生じるものと考えられる。

このため、本会計基準では、結合企業（分離先企業）において企業結合会計基準に従い パーチェス法 により会計処理するときであっても、必ずしも分離元企業が 移転損益 を認識するわけではなく、また、結合当事企業の株主が 交換損益 を認識するわけではないという考え方に立っている。

分離元企業の会計処理と結合当事企業の株主に係る会計処理の考え方の関係

73. 次のように、事業分離における 分離元企業 と、 100％子会社 を被結合企業とする企業結合における当該 被結合企業の株主 （親会社）とでは、経済的効果が実質的に同じであることから、両者の会計処理を 整合的 なものとすることが適当と考えられる。

(1) 事業分離は、分離元企業が100％所有（支配）する事業を分離先企業に移転し、当該分離元企業が対価を受け取る。

(2) 被結合企業の株式をすべて保有している場合（100％子会社を被結合企業とする場合）の企業結合は、当該被結合企業の株主（親会社）が子会社である被結合企業の株式を通じて100％所有（支配）する事業を結合企業に移転し、当該結合企業から対価を受け取る。

さらに、被結合企業の株主が親会社である場合には、被結合企業の株式をすべて保有しているとき（被結合企業が100％子会社の場合）でも、すべては保有していないとき（被結合企業が100％子会社以外の子会社の場合）でも整合的な会計処理とすることが適当と考えられる。

3 分離元企業の会計処理　重要度 ★★★

(1) 分離元企業の会計処理

会計基準

10. 分離元企業は、事業分離日に、次のように会計処理する。

(1) 移転した事業に関する投資が清算されたとみる場合には、その事業を分離先企業に移転したことにより　受け取った対価となる財の時価　と、移転した事業に係る　株主資本相当額　（移転した事業に係る資産及び負債の移転直前の適正な帳簿価額による差額から、当該事業に係る評価・換算差額等及び新株予約権を控除した額をいう。以下同じ。）との差額を　移転損益　として認識するとともに、改めて当該　受取対価の時価　にて投資を行ったものとする。

　　　現金　など、移転した事業と　明らかに異なる資産　を対価として受け取る場合には、投資が　清算　されたとみなされる（第14項から第16項及び第23項参照）。ただし、事業分離後においても、分離元企業の継続的関与（分離元企業が、移転した事業又は分離先企業に対して、事業分離後も引き続き関与すること）があり、それが重要であることによって、移転した事業に係る成果の変動性を従来と同様に負っている場合には、投資が清算されたとみなされず、移転損益は認識されない。

(2) 移転した事業に関する投資がそのまま継続しているとみる場合、　移転損益　を認識せず、その事業を分離先企業に移転したことにより　受け取る資産の取得原価　は、移転した事業に係る　株主資本相当額　に基づいて算定するものとする。

　　　子会社株式　や　関連会社株式　となる　分離先企業の株式　のみを対価として受け取る場合には、当該　株式　を通じて、移転した事業に関する　事業投資　を引き続き行っていると考えられることから、当該事業に関する投資が　継続　しているとみなされる（第17項から第22項参照）。

　　いずれの場合においても、分離元企業において、事業分離により移転した事業に係る資産及び負債の帳簿価額は、事業分離日の前日において一般に公正妥当と認められる企業会計の基準に準拠した適正な帳簿価額のうち、移転

153

する事業に係る金額を合理的に区分して算定する。

11. 事業分離に要した支出額は、 $\boxed{発生時}$ の事業年度の $\boxed{費用}$ として処理
する。

12. 移転損益を認識する場合の受取対価となる財の時価は、受取対価が現金以
外の資産等の場合には、 $\boxed{受取対価となる財の時価}$ と $\boxed{移転した事業の時価}$ のうち、 $\boxed{より高い信頼性}$ をもって測定可能な時価で算定する。

13. 市場価格のある分離先企業の株式が受取対価とされる場合には、受取対価
となる財の時価は、 $\boxed{事業分離日の株価}$ を基礎にして算定する。

(結論の背景)

分離元企業の会計処理の基本的な考え方
移転損益を認識するかどうかについて

74. 本会計基準では、一般に事業の成果をとらえる際の $\boxed{投資の継続・清算}$
という概念に基づき、実現損益を認識するかどうかという観点から、分離元
企業の会計処理を考えている。これは、企業結合の会計処理を一般的な会計
処理と整合させるために考えられた「 $\boxed{持分の継続・非継続}$ 」という概念の
根底にある考え方である（第69項参照）。分離した事業に関する投資が継続
しているとみるか清算されたとみるかによって、一般的な売却や交換に伴う
損益認識と同様に、分離元企業において移転損益が認識されない場合と認識
される場合がある（第10項参照）。

75. 投資が継続しているとみるか清算されたとみるかを判断するためには、具
体的に明確な事実として観察することが可能な要件を定める必要がある。平
成15年企業結合会計基準では、企業結合における「持分の継続」を「対価の
種類」と「支配」という2つの観点から判断することとしていたため、事業
分離においても、これらを要件としてはどうかという意見がある。

しかしながら、事業分離の場合には、移転損益が認識されるかどうかが論
点となるため、一般的な購入、売却や交換の会計処理と同様に、企業結合と
事業分離の会計処理における観察可能な具体的要件が必ずしも同じになると
は限らない。

本会計基準では、企業結合会計基準と同様に、一般に事業の成果をとらえ
る際の投資の継続・清算という概念に基づいて、事業分離の会計処理を考え
るものの、観察可能な具体的要件については、他の会計基準の考え方との整
合性を踏まえると、対価が移転した事業と異なるかどうかという「対価の種
類」は該当するが、「支配」については必ずしも該当しないものと考えてい

る。

76.　さらに、一般的な売却や交換の会計処理に照らせば、例えば、買戻しの条件が付されている事業分離のように、継続的関与があり、それが重要である場合には、移転損益を認識することはできないと考えられる。分離先企業が子会社や関連会社にあたるかどうかを判断する際、持分比率以外の要素も加味するため、一定の継続的関与（例えば、分離元企業が分離した事業又は分離先企業に対して、多くの融資や重要な営業又は事業上の取引を行うことなど）は既に考慮されているものと考えられる。しかし、それ以外に、分離元企業の継続的関与がある場合には、移転損益の認識にあたり、実現概念や投資のリスクからの解放という考え方（第71項参照）に照らして実質的に判断する必要がある。この結果、重要な継続的関与によって、移転した事業に係る成果の変動性を従来と同様に負っていると考えられる場合には、移転損益を認識することはできないこととなる（第10項(1)参照）。もっとも、一般的な売却や交換と同じように、分離先企業の株式を子会社株式又は関連会社株式として保有するため、連結上は移転した事業に係る成果の変動性を従来と同様に負っていても、個別上、それ以外に分離元企業の重要な継続的関与がなく、現金等の財産を受け取る場合には、移転損益を認識することとなる。また、継続的関与があっても重要ではなく、移転損益を認識する場合もあるが、この場合には、当該継続的関与の主な概要を注記することが適当である（第28項(5)参照）。

　　なお、重要な継続的関与があるため、受取対価に現金を含むものの移転損益を認識しない場合には、移転した事業を裏付けとする金融取引として会計処理することとなると考えられる。

分離元企業における移転した事業に係る資産及び負債の帳簿価額

77.　分離元企業において、移転した事業に関する投資が清算されたとみる場合には、移転損益を認識し（第10項(1)参照）、投資が継続しているとみる場合には、移転損益を認識せず、移転直前の適正な帳簿価額をそのまま投資原価とする（第10項(2)参照）。

　　いずれの場合においても、分離元企業において、事業分離により移転した事業に係る資産及び負債の帳簿価額は、一般に公正妥当と認められる企業会計の基準に準拠した適正な帳簿価額であることが必要である。したがって、分離元企業は、重要な会社分割などの場合には、事業分離日の前日に決算又は仮決算を行い、適正な帳簿価額を確定させる必要がある。

78.　さらに、事業分離における分離元企業の場合には、合併における被合併会

社と異なり、事業分離日の前日における分離元企業の適正な帳簿価額を、事業分離により移転する事業に係る部分と分離元企業に残る部分とに分割計画や分割契約、事業譲渡契約に従い、適切に区分する必要がある。

79. 事業分離に要した支出額は、発生時の事業年度の $\boxed{費用}$ として処理する。これは、移転した事業に関する投資が継続しているとみる場合には、事業分離によって受け取る $\boxed{対価}$ を構成しないと考えられること、また、投資が清算されたとみる場合でも、通常の $\boxed{売却}$ に要した支出額は発生時の $\boxed{費用}$ として処理することによる。

　なお、移転した事業に関する投資が清算されたとみる場合において、現金以外の財の受取りに要した支出額についても同様に処理する。

(2) 受取対価が現金等の財産のみである場合の分離元企業の会計処理

会計基準

子会社や関連会社以外を分離先企業として行われた事業分離の場合

16. 現金等の財産のみを受取対価とする事業分離において、子会社や関連会社以外へ事業分離する場合、分離元企業が受け取った現金等の財産は、原則として、$\boxed{時価}$ により計上し、移転した事業に係る $\boxed{株主資本相当額}$ との差額は、原則として、$\boxed{移転損益}$ として認識する。

結論の背景

82. 第71項で示されたように、ある事象が生じたときに投資の清算とみるかどうかということは、投資が実際に終了したのかということではなく、会計上の利益計算において観念的に用いられている考え方であり、$\boxed{投資のリスクから解放}$ されたかどうかによりとらえられてきたものと考えられる。この際、事業分離の対象となる事業への投資（事業投資）は、これまでの会計基準においても、事前に期待される $\boxed{成果}$ がどれだけ $\boxed{事実}$ へと転化したのかに着目して成果がとらえられており、事業分離により、企業が従来負っていた成果の変動性（すなわち事業投資のリスク）を免れるようになった場合に、投資は清算されたものとみなされる。このため、分離元企業が $\boxed{現金}$ など、移転した事業と明らかに異なる財産を受取対価としてある事業を移転した場合には、通常、分離元企業の投資が $\boxed{清算}$ されたとみなされる。

(3) 受取対価が分離先企業の株式のみである場合の分離元企業の会計処理

① 分離先企業が子会社となる場合

（会計基準）

17. 事業分離前に分離元企業は分離先企業の株式を有していないが、事業分離により分離先企業が新たに分離元企業の子会社となる場合、分離元企業（親会社）は次の処理を行う。

  (1) 個別財務諸表上、 移転損益 は認識せず、当該分離元企業が受け取った分離先企業の株式（子会社株式）の取得原価は、移転した事業に係る 株主資本相当額 に基づいて算定する。

  (2) （略）

（結論の背景）

（移転損益を認識するかどうかについて）

87. 分離先企業の株式のみを受取対価とする事業分離において、分離先企業が新たに分離元企業の子会社となる場合、経済実態として、分離元企業における当該事業に関する投資がそのまま継続していると考えられる。したがって、当該取引において、移転損益は認識されず、当該分離元企業が受け取った分離先企業の株式（子会社株式）の取得原価は、移転した事業に係る株主資本相当額に基づいて算定する（第17項(1)参照）。このような考え方は、次のように、企業結合会計基準においても、具体的に示されている。

  (1) 新設分割による子会社の設立（企業結合会計基準第118項）

  (2) 現物出資又は吸収分割による子会社化の形式をとる企業結合（企業結合会計基準第114項）

② 分離先企業が関連会社となる場合

（会計基準）

20. 事業分離前に分離元企業は分離先企業の株式を有していないが、事業分離により分離先企業が新たに分離元企業の関連会社となる場合（共同支配企業の形成の場合は含まれない。次項及び第22項において同じ。）、分離元企業は次の処理を行う。

(1)　個別財務諸表上、 $\boxed{\text{移転損益}}$ は認識せず、当該分離元企業が受け取った分離先企業の株式（関連会社株式）の取得原価は、移転した事業に係る $\boxed{\text{株主資本相当額}}$ に基づいて算定する。

(2)　（略）

結論の背景

（移転損益を認識するかどうかについて）

96.　分離先企業の株式のみを受取対価とする事業分離において、分離先企業が新たに関連会社となる場合、分離元企業による当該事業に関する投資は清算されたものとみて移転損益を認識するという見方と、投資が継続しているものとみて移転損益を認識しないという見方がある。

97.　投資の清算に該当するという見方は、次のような理由によるものと考えられる。

(1)　事業分離により分離先企業の株式（子会社株式）を受け取る場合とは異なり、この場合には、分離元企業の事業の多くと分離先企業の事業の多くとが引き換えられるため、事前に期待していた当該投資の成果が事実に転化されたとみることができる。

(2)　移転された事業に関する分離元企業の支配が失われることをもって投資の清算と考えることは、支配をより重視する最近の国際的な動向にも配慮した企業結合会計基準の考え方にも沿っている。

(3)　事業分離により分離先企業が関連会社となる場合には、分離先企業のこれまでの株主が、総体として当該事業を支配することとなるため取得と判断される。分離先企業において取得と判断されるときに、分離元企業において売却とすることは理解しやすい。

(4)　投資の継続とみる場合、新たに関連会社となる事業分離のみならず、関連会社への事業分離による関連会社株式の追加取得でも移転損益は生じないこととなるが、企業結合会計基準では、共通支配下の取引についてのみ、特段の定めをしているにすぎない。

98.　これに対し、本会計基準では、次のような理由から、投資の $\boxed{\text{継続}}$ に該当するという見方によっている（第20項(1)参照）。

(1)　関連会社株式は、関連会社への影響力の行使を目的として保有することから、子会社株式の場合と同じく事実上の $\boxed{\text{事業投資}}$ と同様の会計処理を行うこととされている（金融商品会計基準第74項）。これを踏まえれば、事業分離により、移転された事業に対する支配は失われているが、関連会

社への影響力の行使を通じて、子会社と同様に、移転された事業に関する事業投資を引き続き行っているとみることができることから、当該事業に関する投資が ⎡継続⎤ していると考えられることとなる。

(2) 事業分離により分離先企業が子会社となる場合と関連会社となる場合には、分離元企業の事業の一部と分離先企業の事業の一部が引き換えられる程度が、基本的に過半になるか否かに違いがある。いずれの場合も投資のリスクは変質しているものの、過半になるか否かという程度によって、事前に想定されていた当該投資の成果がリスクから解放され、期待に対応する事実が生じたと言える積極的な理由はない。また、移転された事業に対する分離元企業の支配（事業の財務及び経営方針を左右する能力）が失われることをもって投資の清算と考えることは、事前の期待が支配自体にあった場合には該当するが、移転された事業の活動から ⎡便益を享受⎤ することが事前の期待であれば、支配の有無は投資の清算を考える際の絶対的な要件とは言えない。

　　むしろ、現行の会計基準等における考え方からは、事業分離により子会社株式を保有する場合と同様に関連会社株式の保有によっても、その投資の性質は変わらないものとみて、移転された事業に関する投資が ⎡継続⎤ していると考える方が適当と考えられる。

(3) 分離先企業において取得のときに分離元企業において売却と解することは理解しやすいが、もともと分離先企業の取扱いにより分離元企業の会計処理が必ずしも決まる必要はない。

(4) 企業結合会計基準では、共通支配下の取引を定めているが、これと矛盾した考え方でない限り、企業結合会計基準が他の取扱いを妨げているわけではないため、前項(4)のような指摘はあたらない。

99. 事業分離により分離先企業が新たに関連会社となる場合における分離元企業の会計処理は、現行の会計基準等における考え方を踏まえれば、事業分離により分離先企業が新たに子会社となる場合と同様に、移転された事業に関する投資が ⎡継続⎤ しているとみることが適当と考えられる。

　　すなわち、金融商品会計基準において、関連会社株式は、子会社株式の場合と同じく事実上の ⎡事業投資⎤ と同様の会計処理を行うことが適当であるため、⎡取得原価⎤ をもって貸借対照表価額とすること、連結会計基準や持分法会計基準等において、持分法は、一行連結といわれるように、その当期純利益及び純資産に与える影響は同一であり、連結（完全連結）のいわば簡便的な会計処理であるととらえられていることから、事業分離において、分

離先企業が新たに関連会社となる場合には、子会社となる場合と同様に、投資は 継続 しているとみる考え方が整合的である。

100. この論点は、現行の会計基準等との整合性を重視するか、それよりも、移転された事業に対する分離元企業の支配の喪失が、当該事業投資のリスクから解放され、移転損益を認識するという不可逆的な成果が得られた状態を指すものと考えられるかどうかという問題ともいえる。

　もし、支配の喪失によって移転損益を認識することが、事業分離を伴う投資の実態や本質であると判断された場合には、その考え方を通じ、前述したような持分法の位置付けや関連会社株式の貸借対照表価額等、他の会計処理を今後、これと整合的になるよう改廃していくことが考えられる。

　事業分離の会計処理を考えるにあたっては、移転された事業に対する分離元企業の支配が継続しているか失われたかが最も重要であるという立場も有力であるが、本会計基準では、その立場をとってまで他の会計基準等を含む体系に影響を与える意義は薄いという考え方により、必ずしも支配が失われることをもって投資の清算とみることとはしていない。

③　分離先企業が子会社や関連会社以外となる場合

会計基準

23. 分離先企業の株式のみを受取対価とする事業分離により分離先企業が子会社や関連会社以外となる場合（共同支配企業の形成の場合を除く。）、分離元企業の個別財務諸表上、原則として、 移転損益 が認識される。また、分離先企業の株式の取得原価は、 移転した事業に係る時価 又は当該 分離先企業の株式の時価 のうち、 より高い信頼性 をもって測定可能な 時価 に基づいて算定される。

結論の背景

104. 分離先企業の株式のみを受取対価とする事業分離により分離先企業が子会社や関連会社以外となる場合（共同支配企業の形成の場合を除く。）、分離元企業の財務諸表において、分離先企業の株式はその他有価証券に分類されることとなる。

　事業分離により受け取る分離先企業の株式が子会社株式や関連会社株式に分類される場合、支配又は重要な影響により、移転した事業を含む当該株式の保有を通じて、移転した事業に関する事業投資としての性格が継続してい

160

るとみるが、その他有価証券に分類されることとなる場合には、これとは異なり、もはや移転した事業に関する投資は　継続　していないものとみて、原則として、　移転損益　を認識する（第23項参照）。

(4)　開　示

会計基準

損益計算書における表示

27.　移転損益は、原則として、　特別損益　に計上する。

結論の背景

損益計算書における表示

111.　移転損益は、通常、　臨時的　に生じる損益であるため、原則として、特別損益に計上する。

4　結合当事企業の株主に係る会計処理

重要度 ★★

(1)　被結合企業の株主に係る会計処理

会計基準

32.　被結合企業の株主は、企業結合日に、次のように会計処理する。

(1)　被結合企業に関する投資が清算されたとみる場合には、被結合企業の株式と引き換えに　受け取った対価となる財の時価　と、被結合企業の株式に係る企業結合直前の適正な　帳簿価額　との差額を　交換損益　として認識するとともに、改めて当該　受取対価の時価　にて投資を行ったものとする。

　現金　など、被結合企業の株式と　明らかに異なる資産　を対価として受け取る場合には、投資が　清算　されたとみなされる（第35項から第37項及び第41項参照）。ただし、企業結合後においても、被結合企業の株主の継続的関与（被結合企業の株主が、結合後企業に対して、企業結合後

も引き続き関与すること）があり、それが重要であることによって、交換した株式に係る成果の変動性を従来と同様に負っている場合には、投資が清算されたとみなされず、交換損益は認識されない。

(2) 被結合企業に関する投資がそのまま継続しているとみる場合、 交換損益 を認識せず、被結合企業の株式と引き換えに 受け取る資産の取得原価 は、被結合企業の株式に係る適正な 帳簿価額 に基づいて算定するものとする。

　　被結合企業が 子会社 や 関連会社 の場合において、当該被結合企業の株主が、 子会社株式 や 関連会社株式 となる結合企業の株式のみを対価として受け取る場合には、当該引き換えられた結合企業の株式を通じて、被結合企業（子会社や関連会社）に関する 事業投資 を引き続き行っていると考えられることから、当該被結合企業に関する投資が 継続 しているとみなされる（第38項から第40項及び第42項から第44項参照）。

33. 交換損益を認識する場合の受取対価となる財の時価は、受取対価が現金以外の資産等の場合には、 受取対価となる財の時価 と引き換えた 被結合企業の株式の時価 のうち、 より高い信頼性 をもって測定可能な 時価 で算定する。

34. 市場価格のある結合企業の株式が受取対価とされる場合には、受取対価となる財の時価は、 企業結合日の株価 を基礎にして算定する。

（結論の背景）

被結合企業の株主に係る会計処理の基本的な考え方
交換損益を認識するかどうかの判定

115. 本会計基準では、一般に事業の成果をとらえる際の 投資の継続・清算 という概念に基づき、実現損益を認識するかどうかという観点から、分離元企業の会計処理（第74項参照）と同様に、被結合企業の株主に係る会計処理を考えている。したがって、企業結合により、保有していた被結合企業の株式が、結合企業の株式などの財と引き換えられた場合に、その投資が継続しているとみるか清算されたとみるかによって、被結合企業の株主に係る会計処理でも、一般的な売却や交換に伴う損益認識と同様に、交換損益が認識されない場合と認識される場合が考えられる（第32項参照）。

　　なお、金融商品会計基準では、金融資産の交換について直接取り扱ってはいないが、金融資産の譲渡に係る消滅の認識は財務構成要素アプローチによ

ること（金融商品会計基準第58項）とされている。株式は金融資産であることから、金融商品会計基準との関係も考慮する必要がある。

(2) 開　示

会計基準

損益計算書における表示

53. 交換損益は、原則として、 特別損益 に計上する。

結論の背景

損益計算書における表示

145. 交換損益は、通常、 臨時的 に生じる損益であるため、原則として、特別損益に計上する。

第14章

貸借対照表の純資産の部の表示に関する会計基準

最終改正　2021年1月28日

（2022年10月28日最終修正）

1 貸借対照表の区分

重要度 ★★★

結論の背景

18. 平成17年会計基準の公表前まで、貸借対照表上で区分されてきた資産、負債及び資本の定義は必ずしも明示されてはいないが、そこでいう資本については、一般に、財務諸表を報告する主体の 所有者 （株式会社の場合には 株主 ）に帰属するものと理解されており、また、連結貸借対照表における資本に関しては、連結財務諸表を親会社の財務諸表の延長線上に位置づけて、 親会社の株主 に帰属するもののみを反映させることとされてきた。

19. また、資産は、一般に、過去の取引又は事象の結果として、財務諸表を報告する主体が 支配 している 経済的資源 、負債は、一般に、過去の取引又は事象の結果として、報告主体の資産やサービス等の 経済的資源 を放棄したり引渡したりする 義務 という特徴をそれぞれ有すると考えられている。このような理解を踏まえて、 返済義務 のあるものは負債の部に記載するが、非支配株主持分や為替換算調整勘定のように 返済義務 のないものは負債の部に記載しないこととする取扱いが、連結財務諸表を中心に行われてきた。（第14項及び第15項参照）。

20. このように、資本は報告主体の 所有者 に帰属するもの、負債は 返済義務 のあるものとそれぞれ明確にした上で貸借対照表の貸方項目を区分する場合、資本や負債に該当しない項目が生ずることがある。この場合には、独立した中間的な区分を設けることが考えられるが、中間区分自体の性格や中間区分と 損益計算 との関係などを巡る問題が指摘されている。また、国際的な会計基準においては、中間区分を解消する動きがみられる。

21. このような状況に鑑み、平成17年会計基準では、まず、貸借対照表上、 資産性 又は 負債性 をもつものを資産の部又は負債の部に記載することとし、それらに該当しないものは資産と負債との差額として「 純資産の部 」に記載することとした（第4項参照）。この結果、報告主体の 支払能力 などの 財政状態 をより適切に表示することが可能となるものと考えられる。

　なお、「純資産の部」という表記に対しては、平成17年会計基準の公開草案に対するコメントにおいて、「株主持分の部」とすべきという意見があっ

た。しかしながら、持分には、単なる差額概念以上の意味が含まれる可能性があり、資産と負債との差額を表すには、純資産と表記することが内容をより適切に示すものと考えられる。

　また、平成17年会計基準の公開草案に対するコメントの中には、資本と純資産とが相違することに対する懸念も見られた。これに対しては、以前であれば、株主に帰属する資本が差額としての純資産となるように資産及び負債が取り扱われてきたが、その他有価証券評価差額金を資本の部に直接計上する考え方（第14項参照）が導入されて以降、株主に帰属する資本と、資産と負債との差額である純資産とは、既に異なっているという見方がある。平成17年会計基準では、資本と利益の連繋を重視し（第29項及び第30項参照）、資本については、株主に帰属するものであることを明確にすることとした。また、前項で示したように資産や負債を明確にすれば、これらの差額がそのまま資本となる保証はない。このため、貸借対照表の区分において、資本とは必ずしも同じとはならない資産と負債との単なる差額を適切に示すように、これまでの「資本の部」という表記を「　純資産の部　」に代えることとした。

22.　前項までの考え方に基づき、平成17年会計基準においては、新株予約権や非支配株主持分を　純資産の部　に区分して記載することとした。

　(1)　新株予約権

　　　新株予約権は、将来、権利行使され　払込資本　となる可能性がある一方、失効して　払込資本　とはならない可能性もある。このように、発行者側の新株予約権は、権利行使の有無が確定するまでの間、その性格が確定しないことから、これまで、　仮勘定　として　負債の部　に計上することとされていた。しかし、新株予約権は、　返済義務　のある負債ではなく、　負債の部　に表示することは適当ではないため、　純資産の部　に記載することとした。

　(2)　非支配株主持分

　　　非支配株主持分は、　子会社の資本　のうち　親会社　に帰属していない部分であり、　返済義務　のある負債でもなく、また、連結財務諸表における　親会社株主　に帰属するものでもないため、これまで、負債の部と資本の部の　中間　に独立の項目として表示することとされていた。しかし、平成17年会計基準では、独立した中間区分を設けないこととし、　純資産の部　に記載することとした。

23.　さらに、平成17年会計基準では、貸借対照表上、これまで　損益計算

の観点から資産又は負債として繰り延べられてきた項目についても、 資産性 又は 負債性 を有しない項目については、 純資産の部 に記載することが適当と考えた。このような項目には、ヘッジ会計の原則的な処理方法における 繰延ヘッジ損益 （ヘッジ対象に係る損益が認識されるまで繰り延べられるヘッジ手段に係る損益又は時価評価差額）が該当する（第8項参照）。

24. なお、この他にも、例えば、仮受金や未決算勘定、割賦未実現利益、修繕引当金など、 損益計算 の観点から資産又は負債として繰り延べられてきたのではないかと考えられる項目もある。しかしながら、仮受金や未決算勘定については、将来、収益に計上される可能性ではなく外部に 返済される可能性 を重視すれば 負債 に該当すること、割賦未実現利益や修繕引当金については、利益の繰り延べではなく 資産の控除項目 という見方もあることなどから、平成17年会計基準では、 繰延ヘッジ損益以外の項目 について、既存の会計基準と異なる取扱いを定めることはしないものとした。

25. 平成17年会計基準では、第13項から第16項で示した経緯を踏まえ、貸借対照表の純資産の部の表示を定めることを目的としており、表記上、これまでの資本の部を 純資産の部 に代え（第21項参照）、その上で新株予約権や非支配株主持分、繰延ヘッジ損益を当該 純資産の部 に記載することとした（第22項及び第23項参照）。

　また、平成17年会計基準公表前において資本の部には、払込資本や留保利益のほか、 その他有価証券評価差額金 など、払込資本でもなく損益計算書を経由した利益剰余金でもない項目が含まれて表記されていた。このため、平成17年会計基準では、純資産のうち株主（連結財務諸表においては親会社の株主）に帰属する部分を、「 資本 」とは表記せず、株主に帰属するものであることをより強調する観点から「 株主資本 」と称するものとしている。

26. 貸借対照表の表示に関しては、「企業会計原則」などに定めがあるが、これらの会計基準と異なる取扱いを定めているものについては、本会計基準の取扱いが優先することとなり、自己株式の表示など本会計基準において特に定めのないものについては、該当する他の会計基準の定めによる（第1項参照）。

　また、表示を除く会計処理については、既存の会計基準と異なる定めはしていないため、貸借対照表項目の認識及び消滅の認識、貸借対照表価額の算定などの会計処理については、既存の会計基準によることとなる（第1項参

照）。

　　なお、繰延ヘッジ損益については、 純資産の部 に計上されることとなるため、 その他有価証券評価差額金 などと同様に、当該繰延ヘッジ損益に係る 繰延税金資産 又は 繰延税金負債 の額を控除して計上することとなる（第 8 項なお書き参照）。

26 - 2．平成25年改正会計基準においても、第21項から第26項の考え方を踏襲している。

純資産の部の表示

重要度
★★★

会計基準

4．貸借対照表は、 資産の部 、 負債の部 及び 純資産の部 に区分し、 純資産の部 は、 株主資本 と 株主資本以外の各項目 （第 7 項参照）に区分する。

7．株主資本以外の各項目は、次の区分とする。

⑴　個別貸借対照表上、 評価・換算差額等 （第 8 項参照）、 株式引受権 及び 新株予約権 に区分する。

⑵　連結貸借対照表上、評価・換算差額等（第 8 項参照）、株式引受権、新株予約権及び 非支配株主持分 に区分する。

　　なお、連結貸借対照表において、連結子会社の個別貸借対照表上、純資産の部に直接計上されている評価・換算差額等は、持分比率に基づき親会社持分割合と非支配株主持分割合とに按分し、親会社持分割合は当該区分において記載し、非支配株主持分割合は非支配株主持分に含めて記載する。

8．評価・換算差額等には、 その他有価証券評価差額金 や 繰延ヘッジ損益 のように、資産又は負債は 時価 をもって貸借対照表価額としているが当該資産又は負債に係る評価差額を 当期の損益 としていない場合の当該評価差額や、為替換算調整勘定、 退職給付に係る調整累計額 等が含まれる。当該評価・換算差額等は、 その他有価証券評価差額金 、 繰延ヘッジ損益 、 退職給付に係る調整累計額 等その内容を示す科目をもって表示する。

なお、当該評価・換算差額等については、これらに係る 繰延税金資産 又は 繰延税金負債 の額を控除した金額を記載することとなる。

（結論の背景）

27. かつて、資本の部は資本金、資本準備金、利益準備金及びその他の剰余金に区分されていたが、平成13年における商法の改正により、資本金及び資本準備金の取崩によって、株主からの 払込資本 でありながら資本金、資本準備金では処理されないものが生ずることとなった。また、同改正に伴う自己株式の取得や処分規制の緩和により生ずることとなった自己株式処分差益も、同様の性格を有するものと考えられている。これらに対応するために、当委員会では、平成14年2月に企業会計基準第1号「自己株式及び法定準備金の取崩等に関する会計基準」（平成17年12月に「自己株式及び準備金の額の減少等に関する会計基準」として改正されている。）を公表し、資本性の剰余金を計上する 資本剰余金 の区分を設け、また、これに合わせ、利益性の剰余金を計上する 利益剰余金 の区分を設けた。

28. このような区分は、債権者保護の観点から資本の部を資本金、法定準備金、剰余金に区分してきた商法の考え方と、 払込資本 と 留保利益 に区分する企業会計の考え方の調整によるものと考えられる。もちろん、 払込資本 も 留保利益 も株主資本であることには変わりはなく、会計上はこの 留保利益 を含む 株主資本 の変動（増資や配当など）と、その株主資本が生み出す利益との区分が本質的に重要である。しかし、同じ株主資本でも株主が拠出した部分と利益の留保部分を分けることは、配当制限を離れた 情報開示 の面でも従来から強い要請があったと考えられる。このため、平成17年会計基準でも従来の考え方を引き継ぎ、株主資本は、 資本金 、 資本剰余金 及び 利益剰余金 に区分するものとしている（第5項参照）。

29. 財務報告における情報開示の中で、特に重要なのは、 投資の成果 を表す 利益 の情報であると考えられている。 報告主体の所有者 に帰属する 利益 は、基本的に 過去の成果 であるが、企業価値を評価する際の基礎となる 将来キャッシュ・フロー の予測やその改訂に広く用いられている。当該情報の主要な利用者であり受益者であるのは、報告主体の企業価値に関心を持つ当該報告主体の現在及び将来の 所有者（株主） であると考えられるため、 当期純利益 とこれを生み出す 株主資本 は重視されることとなる。

170

30. 平成17年会計基準では、貸借対照表上、これまでの資本の部を資産と負債との差額を示す 純資産の部 に代えたため、資産や負債に該当せず 株主資本 にも該当しないものも 純資産の部 に記載されることとなった。ただし、前項で示したように、 株主資本 を他の純資産に属する項目から区分することが適当であると考えられるため、純資産を 株主資本 と 株主資本以外の各項目 に区分することとした。この結果、損益計算書における 当期純利益 の額と貸借対照表における 株主資本 の資本取引を除く 当期変動額 は一致することとなる。

31. 平成17年会計基準の検討においては、第4項及び第7項のように純資産を株主資本と株主資本以外の各項目に並列的に区分するのではなく、株主資本をより強調するように、純資産を株主資本とその他純資産に大きく区分し、その他純資産をさらに評価・換算差額等、新株予約権及び非支配株主持分に区分するという考え方も示された。しかし、株主資本以外の各項目をその他純資産として一括りにする意義は薄いと考えられたため、そのような考え方は採用しなかった。

　また、純資産の部の区分においては、財務分析における重要な指標であるROE（株主資本利益率又は自己資本利益率）の計算上、従来から、資本の部の合計額を分母として用いることが多く、また、この分母を株主資本と呼ぶことも多いため、株主資本、評価・換算差額等及び新株予約権を括った小計を示すべきではないかという指摘があった。しかしながら、ROEのみならず、自己資本比率や他の財務指標については、本来、利用目的に応じて用いられるべきものと考えられ、平成17年会計基準の適用によっても、従来と同じ情報は示されており、これまでと同様の方法によるROEなどの財務指標の算定が困難になるわけではないと考えられる。このため、企業の財政状態及び経営成績を示す上で、株主資本、評価・換算差額等及び新株予約権を一括りとして意味をもたせることが必ずしも適当ではないと考え、これらを括ることは行わなかった。

32. 平成17年会計基準では、新株予約権は、報告主体の所有者である 株主 とは異なる 新株予約権者 との直接的な取引によるものであり、また、非支配株主持分は、 子会社の資本 のうち 親会社 に帰属していない部分であり、いずれも 親会社株主 に帰属するものではないため、株主資本とは区別することとした（第7項及び第22項参照）。

　また、連結貸借対照表上、非支配株主持分には、平成17年会計基準公表前と同様に連結子会社における評価・換算差額等の非支配株主持分割合が含め

られる。さらに、非支配株主持分を純資産の部に記載することとしても、連結財務諸表の作成については、従来どおり、親会社の株主に帰属するもののみを連結貸借対照表における株主資本に反映させることとしている。

33. 平成17年会計基準では、評価・換算差額等は、 払込資本 ではなく、かつ、未だ 当期純利益 に含められていないことから、 株主資本 とは区別し、 株主資本以外の項目 とした（第7項及び第8項参照）。

　　平成17年会計基準の検討過程では、その他有価証券評価差額金や繰延ヘッジ損益、為替換算調整勘定などは、国際的な会計基準において、「その他包括利益累積額」として区分されているため、国際的な調和を図る観点などから、このような表記を用いてはどうかという考え方も示されたが、包括利益が開示されていない中で「その他包括利益累積額」という表記は適当ではないため、その主な内容を示すよう「評価・換算差額等」として表記することとした。なお、当委員会は平成22年6月に企業会計基準第25号「包括利益の表示に関する会計基準」（以下「企業会計基準第25号」という。）を公表し、平成24年改正の企業会計基準第25号により、当面の間、同会計基準を個別財務諸表には適用しないこととしたため、個別財務諸表上は引き続き「評価・換算差額等」として表記することとしている。

　　また、平成17年会計基準の公開草案に対するコメントの中には、評価・換算差額等の各項目は株主資本に含める方が妥当ではないかという意見があった。これは、その他有価証券評価差額金や為替換算調整勘定などが、資本の部に直接計上されていたことなどの理由によるものと考えられる。しかしながら、一般的に、資本取引を除く 資本の変動 と 利益 が一致するという関係は、会計情報の 信頼性 を高め、 企業評価 に役立つものと考えられている。平成17年会計基準では、 当期純利益 が資本取引を除く 株主資本の変動 をもたらすという関係を重視し、評価・換算差額等を 株主資本 とは区別することとした。

33-2. 平成25年改正会計基準においても、第28項から第33項の考え方を踏襲している。

3　株主資本の区分

重要度 ★★★

会計基準

5．株主資本は、 資本金 、 資本剰余金 及び 利益剰余金 に区分する。

6．個別貸借対照表上、資本剰余金及び利益剰余金は、さらに次のとおり区分する。

(1)　資本剰余金は、 資本準備金 及び資本準備金以外の資本剰余金（以下「 その他資本剰余金 」という。）に区分する。

(2)　利益剰余金は、 利益準備金 及び利益準備金以外の利益剰余金（以下「 その他利益剰余金 」という。）に区分し、その他利益剰余金のうち、任意積立金のように、株主総会又は取締役会の決議に基づき設定される項目については、 その内容を示す科目 をもって表示し、それ以外については 繰越利益剰余金 にて表示する。

結論の背景

34．株主資本は、平成17年会計基準公表前と同様に、資本金、資本剰余金及び利益剰余金に区分する。 資本性 の剰余金を計上する資本剰余金は、個別貸借対照表上はさらに、会社法で定める 資本準備金 とそれ以外の その他資本剰余金 に区分する。これまで、その他資本剰余金は、資本金及び資本準備金の取崩によって生ずる剰余金や自己株式の処分差益等がその内容を示す科目に区分して表示されていた。しかし、平成17年会計基準の適用時期と同時に導入される 株主資本等変動計算書 があれば当期の変動状況は把握できることなどから、継続的にその他資本剰余金の残高を内容に応じて区別しておく必然性は乏しく、平成17年会計基準では、個別貸借対照表上においても、その他資本剰余金の内訳を示さないものとした（第6項(1)参照）。

35． 利益性 の剰余金を計上する利益剰余金は、個別貸借対照表上、利益準備金及びその他利益剰余金に区分する。これまで、利益剰余金は、利益準備金、任意積立金及び当期未処分利益（又は当期未処理損失）に区分されていた。これは、任意積立金と当期未処分利益を括るだけの区分を設ける実益に乏しいことなどの理由による。しかしながら、会計上は任意積立金の区分を設ける必然性はなく、また、会社法上も利益準備金、任意積立金及びその他

の各項目が示されれば足りると解されることから、平成17年会計基準では、利益剰余金の区分を資本剰余金の区分と対称とすることとした。さらに、その他利益剰余金のうち、任意積立金のように、株主総会又は取締役会の決議に基づき設定される項目については、その内容を示す科目 をもって表示し、それ以外については「 繰越利益剰余金 」として表示するものとした。後者は、今後、決算日後の利益処分としてではなく剰余金の配当を行うことができるようになることなどから、これまで利益処分の前後で使い分けられてきた「当期未処分利益」と「繰越利益」に代え、「 繰越利益剰余金 」と称したものである（第6項(2)参照）。

　なお、その他利益剰余金又は繰越利益剰余金の金額が負となる場合には、マイナス残高として表示することとなる。

36.　（略）

37.　なお、資本剰余金には、(1)株主からの払込資本を表す払込剰余金のほか、(2)贈与により発生する剰余金（資本的支出に充てた国庫補助金等）や、(3)資本修正により発生する剰余金（貨幣価値変動に伴う固定資産の評価替等）を含むとの考えがある。しかし、(2)については実際上ほとんど採用されていないと思われ、(3)は我が国の現行の制度上生ずる余地がない。したがって、これらの論点については、平成17年会計基準では検討の対象とはしていない。

37－2．平成25年改正会計基準においても、第34項から第37項の考え方を踏襲している。

第15章

自己株式及び準備金の額の減少等に関する会計基準

最終改正　平成27年3月26日

1 自己株式の会計処理 及び表示

重要度 ★★★

(1) 自己株式の取得及び保有

会計基準

7. 取得した自己株式は、 取得原価 をもって純資産の部の株主資本から控除する。

8. 期末に保有する自己株式は、純資産の部の 株主資本の末尾 に 自己株式として一括して控除する形式 で表示する。

結論の背景

30. 自己株式については、かねてより資産として扱う考えと資本の控除として扱う考えがあった。資産として扱う考えは、自己株式を 取得 したのみでは株式は 失効 しておらず、他の有価証券と同様に 換金性 のある会社財産とみられることを主な論拠とする。また、資本の控除として扱う考えは、自己株式の取得は株主との間の 資本取引 であり、会社所有者に対する会社財産の 払戻し の性格を有することを主な論拠とする。

31. 以前は、商法が「株式会社の貸借対照表、損益計算書、営業報告書及び附属明細書に関する規則」により自己株式を貸借対照表の 資産の部 に記載すべきと定めていたため、実務的にはそれに従った処理が行われていた。一方、会計上は資本の控除とする考えが多く、「商法と企業会計原則との調整に関する意見書」(昭和26年9月28日経済安定本部企業会計基準審議会中間報告)においては資本の控除とする考えが述べられており、本会計基準公表以前においても 連結財務諸表 では資本の控除とされていた。また、 国際的 な会計基準においても、一般的に資本の控除とされている。平成14年公表の本会計基準では、これらを勘案し、資本の控除とすることが適切であるとされ、平成17年改正の本会計基準においても同様の考えによることとした。

32. 自己株式を純資産の部の株主資本の控除とする場合の会計処理は、取得原価で一括して株主資本全体の控除項目とする方法以外に、株主資本の構成要素に配分して直接減額する方法などが考えられてきた。後者の方法は、自己

176

株式の取得を自己株式の消却に類似する行為とする考えに基づくと思われるが、自己株式を取得したのみでは 発行済株式総数が減少 するわけではなく、 取得後の処分 もあり得る点に着目し、自己株式の保有は処分又は消却までの 暫定的 な状態であると考え、取得原価で 一括 して純資産の部の 株主資本全体 の控除項目とする方法が適切であると考えた。

(2) 自己株式の処分

会計基準

9. 自己株式処分差益は、 その他資本剰余金 に計上する。
10. 自己株式処分差損は、 その他資本剰余金 から減額する。

結論の背景

36. 自己株式を募集株式の発行等の手続で処分する場合、自己株式の処分は株主との間の 資本取引 と考えられ、自己株式の処分に伴う処分差額は 損益計算書 には計上せず、純資産の部の 株主資本 の項目を直接増減することが適切であると考えた。また、自己株式の取得と処分については 一連の取引 とみて会計処理することが適切であると考えた。

37. まず、自己株式処分差益については、自己株式の処分が 新株の発行 と同様の 経済的実態 を有する点を考慮すると、その処分差額も株主からの 払込資本 と同様の経済的実態を有すると考えられる。よって、それを 資本剰余金 として会計処理することが適切であると考えた。

38. 自己株式処分差益については、資本剰余金の区分の内訳項目である資本準備金とその他資本剰余金に計上することが考えられる。 会社法 において、 資本準備金 は分配可能額からの控除項目とされているのに対し、自己株式処分差益については その他資本剰余金 と同様に控除項目とされていない（会社法第446条及び第461条第2項）ことから、自己株式処分差益は その他資本剰余金 に計上することが適切であると考えた。

39. 他方、自己株式処分差損については、自己株式の取得と処分を 一連の取引 とみた場合、純資産の部の 株主資本からの分配 の性格を有すると考えられる。この分配については、 払込資本の払戻し と同様の性格を持つものとして、 資本剰余金 の額の減少と考えるべきとの意見がある。また、株主に対する会社財産の分配という点で 利益配当 と同様の性格であると考え、 利益剰余金 の額の減少と考えるべきとの意見もある。

40. 自己株式の処分が 新株の発行 と同様の経済的実態を有する点を考慮すると、 利益剰余金 の額を増減させるべきではなく、処分差益と同じく処分差損についても、 資本剰余金 の額の減少とすることが適切であると考えた。資本剰余金の額を減少させる科目としては、 資本準備金 からの減額が会社法上の制約を受けるため、 その他資本剰余金 からの減額が適切である。

なお、その他資本剰余金の残高を超えた自己株式処分差損が発生した場合は残高が負の値になるが、資本剰余金は株主からの払込資本のうち資本金に含まれないものを表すため、本来負の残高の資本剰余金という概念は想定されない。したがって、資本剰余金の残高が負の値になる場合は、利益剰余金で補てんするほかないと考えられる。

41. その他資本剰余金の残高を超える自己株式処分差損をその他利益剰余金（繰越利益剰余金）から減額するとの定めについて、資本剰余金と利益剰余金の区別の観点から好ましくなく、特に資本剰余金全体の金額が正の場合は、その他資本剰余金の負の残高とすべきであるとの意見がある。しかし、その他資本剰余金は、払込資本から配当規制の対象となる資本金及び資本準備金を控除した残額であり、 払込資本 の残高が負の値となることはあり得ない以上、払込資本の一項目として表示するその他資本剰余金について、 負の残高 を認めることは適当ではない。よって、その他資本剰余金が 負の残高 になる場合は、 利益剰余金 で補てんするほかないと考えられ、それは資本剰余金と利益剰余金の 混同 にはあたらないと判断される。したがって、その他資本剰余金の残高を超える自己株式処分差損については、 その他利益剰余金 （ 繰越利益剰余金 ）から減額することが適切であると考えた。

(3) 自己株式の消却

会計基準

11. 自己株式を消却した場合には、消却手続が完了したときに、消却の対象となった自己株式の帳簿価額を その他資本剰余金 から減額する。

結論の背景

44. 会社法では、取締役会等による会社の意思決定をもって、保有する自己株式を消却することができるとされているが、会計上は自己株式処分差損の場

合と同様に、消却の対象となった自己株式の帳簿価額を、資本剰余金から減額するか、利益剰余金から減額するかが問題となる。

45. 従来、本会計基準では、資本剰余金又は利益剰余金のいずれから減額するかは、会社の意思決定に委ねることとし、消却した場合に減額するその他資本剰余金又はその他利益剰余金（繰越利益剰余金）については、取締役会等の会社の意思決定機関で定められた結果に従い、消却手続が完了したときに会計処理することとしていた。しかしながら、会社計算規則において優先的に その他資本剰余金 から減額することが規定された（会社計算規則第24条第3項）ため、平成18年改正の本会計基準では、これに合わせることとした。また、自己株式を消却したことにより、会計期間末におけるその他資本剰余金の残高が負の値となった場合には、その他資本剰余金を零とし、当該負の値を その他利益剰余金 （ 繰越利益剰余金 ）から減額することとした（第12項及び第42項参照）。

(4)　その他資本剰余金の残高が負の値になった場合の取扱い

会計基準

12. 第10項及び第11項の会計処理の結果、その他資本剰余金の残高が負の値となった場合には、 会計期間末 において、その他資本剰余金を 零 とし、当該負の値を その他利益剰余金 （ 繰越利益剰余金 ）から減額する。

結論の背景

42. また、その他資本剰余金の残高を超える自己株式処分差損が発生した場合の会計処理については、以下の方法が考えられる。

(1) 負の値となったその他資本剰余金を、 その都度 、その他利益剰余金（繰越利益剰余金）で補てんし、その残高を確定する方法

(2) 負の値となったその他資本剰余金を、 会計期間末 において、その他利益剰余金（繰越利益剰余金）で補てんし、その残高を確定する方法

これについては、その他資本剰余金の額の 増減 が 同一会計期間内 に 反復的 に起こり得ること、(1)の方法を採用した場合、その他資本剰余金の額の 増加 と 減少 の 発生の順番が異なる 場合に結果が異なることなどを理由に、(2)の方法が適切と考えた。

(5) 自己株式の取得、処分及び消却に関する付随費用

会計基準

14. 自己株式の取得、処分及び消却に関する付随費用は、 損益計算書 の 営業外費用 に計上する。

結論の背景

50. 自己株式の取得、処分及び消却時の付随費用（取得のための手数料、消却のための手数料、処分時に募集株式の発行等の手続を行うための費用等）は、 損益計算書 に計上する考えと、取得に要した費用は 取得価額 に含め、処分及び消却に要した費用は 自己株式処分差額 等の調整とする考えがある。

51. 損益計算書に計上する考えは、付随費用を 財務費用 と考え、 損益取引 とする方法であり、本会計基準公表以前から消却目的の自己株式の取得に要した付随費用に用いられていた方法である。この考えは、付随費用は株主との間の資本取引ではない点に着目し、会社の 業績 に関係する項目であるとの見方に基づく。

52. 一方、取得に要した費用は 取得価額 に含め、処分及び消却時の費用は 自己株式処分差額 等の調整とする考えは、付随費用を 自己株式本体の取引と一体 と考え、 資本取引 とする方法である。この考えは、自己株式の処分時及び消却時の付随費用は、形式的には株主との取引ではないが、 自己株式本体の取引と一体 であるとの見方に基づいており、 国際的 な会計基準で採用されている方法である。

53. 本会計基準では、 新株発行費用 を株主資本から減額していない処理との整合性から、自己株式の取得、処分及び消却時の付随費用は、 損益計算書 で認識することとし、 営業外費用 に計上することとした。

54. なお、この問題は新株発行費の会計処理と合わせ、資本会計の本質に関わる問題であり、今後その本質について十分な議論をする予定である。

---

2 資本金及び準備金の額の減少の会計処理 重要度 ★★★

(1)　資本剰余金と利益剰余金の混同の禁止

会計基準

19.　資本剰余金の各項目は、利益剰余金の各項目と混同してはならない。したがって、 資本剰余金 の 利益剰余金 への振替は原則として認められない。

結論の背景

60.　従来、資本性の剰余金と利益性の剰余金は、 払込資本 と 払込資本 を利用して得られた 成果 を区分する考えから、原則的に混同しないようにされてきた。平成13年改正商法において、資本金及び資本準備金の額の減少によって生ずる剰余金が配当可能限度額に含められることとなったが、この資本性の剰余金を利益性の剰余金へ振り替えることの可否についての定めはなかった。また、会社法においても、資本金及び資本準備金の額の減少によって生ずる剰余金は分配可能額に含まれることとなる。ここで、資本金及び資本準備金の額の減少によって生ずる剰余金を利益性の剰余金へ振り替えることを無制限に認めると、 払込資本 と 払込資本 を利用して得られた 成果 を区分することが困難になり、また、資本金及び資本準備金の額の減少によって生ずる剰余金をその他資本剰余金に区分する意味がなくなる。したがって、平成13年改正商法及び会社法における配当に関する定めは、資本剰余金と利益剰余金の混同を禁止する企業会計の原則を変えるものではないと考え、 資本剰余金 と 利益剰余金 を混同してはならない旨を定めることとした。

61.　この考えに基づくと、資本剰余金の利益剰余金への振替は原則として認められない。ただし、利益剰余金が 負の残高 のときにその他資本剰余金で補てんするのは、資本剰余金と利益剰余金の混同にはあたらないと考えられる。もともと払込資本と留保利益の区分が問題になったのは、同じ時点で両者が 正の値 であるときに、両者の間で残高の一部又は全部を振り替えたり、一方に負担させるべき分を他方に負担させるようなケースであった。 負の残高 になった利益剰余金を、将来の利益を待たずにその他資本剰余金で補うのは、払込資本に生じている毀損を事実として認識するものであり、払込資本と留保利益の区分の問題にはあたらないと考えられる。（後略）

(2)　資本金及び資本準備金の額の減少によって生ずる剰余金

会計基準

20.　資本金及び資本準備金の額の減少によって生ずる剰余金は、減少の法的効力が発生したとき（会社法（平成17年法律第86号）第447条から第449条）に、その他資本剰余金 に計上する。

結論の背景

58.　会社法では、株主総会の決議及び債権者保護手続を経て、減少の効力が生ずる日における資本金の額を上限とする資本金の額の減少が可能となった（会社法第447条）。また、準備金の額の減少についても同様の定めがある（会社法第448条）。

59.　資本金及び資本準備金の額の減少によって生ずる剰余金は、いずれも減額前の資本金及び資本準備金の持っていた会計上の性格が変わるわけではなく、資本性 の剰余金の性格を有すると考えられる。よって、それらは資本剰余金であることを明確にした科目に表示することが適切と思われ、減少の法的効力が発生したときに、その他資本剰余金 に計上することが適切であると考えた。

(3)　利益準備金の額の減少によって生ずる剰余金

会計基準

21.　利益準備金の額の減少によって生ずる剰余金は、減少の法的効力が発生したとき（会社法第448条及び第449条）に、その他利益剰余金 （繰越利益剰余金 ）に計上する。

結論の背景

63.　会社法では、株主総会の決議及び債権者保護手続を経て、減少の効力が生ずる日における準備金の額を上限とする準備金の額の減少が可能となった（会社法第448条）。利益準備金はもともと 留保利益 を原資とするものであり、利益性 の剰余金の性格を有するため、利益準備金の額の減少によって生ずる剰余金は、その他利益剰余金 （繰越利益剰余金 ）の増額項目とすることが適切であると考えた。

第16章

ストック・オプション 等に関する会計基準

平成17年12月27日
（2022年 7 月 1 日最終修正）

1　用語の定義
2　ストック・オプションに関する
　権利確定日以前の会計処理
3　ストック・オプションに関する
　権利確定日後の会計処理

1 用語の定義

重要度 ★

2．本会計基準における用語の定義は次のとおりとする。

　⑴　「自社株式オプション」とは、 自社の株式 （財務諸表を報告する企業の株式）を原資産とする コール・オプション （一定の金額の支払により、 原資産 である自社の株式を 取得する権利 ）をいう。 新株予約権 はこれに該当する。

　　　なお、本会計基準においては、企業が、財貨又はサービスを取得する対価として自社株式オプションを取引の相手方に付与し、その結果、自社株式オプション保有者の権利行使に応じて自社の株式を交付する義務を負う場合を取り扱っている。

　⑵　「ストック・オプション」とは、 自社株式オプション のうち、特に企業がその 従業員等 （本項⑶）に、 報酬 （本項⑷）として付与するものをいう。ストック・オプションには、権利行使により対象となる株式を取得することができるというストック・オプション本来の権利を獲得すること（以下「権利の確定」という。）につき条件が付されているものが多い。当該権利の確定についての条件（以下「権利確定条件」という。）には、勤務条件（本項⑽）や業績条件（本項⑾）がある。

　⑶～⒂　（略）

2 ストック・オプションに関する権利確定日以前の会計処理

重要度 ★★★

4．ストック・オプションを付与し、これに応じて企業が従業員等から取得するサービスは、その取得に応じて 費用 として計上し、対応する金額を、ストック・オプションの 権利の行使 又は 失効 が確定するまでの間、

貸借対照表の　純資産の部　に　新株予約権　として計上する。

5．各会計期間における費用計上額は、ストック・オプションの　公正な評価額　のうち、　対象勤務期間　を基礎とする方法その他の合理的な方法に基づき　当期　に発生したと認められる額である。ストック・オプションの　公正な評価額　は、公正な評価単価に　ストック・オプション数　を乗じて算定する。

6．ストック・オプションの公正な評価単価の算定は、次のように行う。

　⑴　付与日現在で算定し、第10項⑴の条件変更の場合を除き、その後は見直さない。

　⑵　ストック・オプションは、通常、市場価格を観察することができないため、株式オプションの合理的な価額の見積りに広く受け入れられている算定技法を利用することとなる。算定技法の利用にあたっては、付与するストック・オプションの特性や条件等を適切に反映するよう必要に応じて調整を加える。ただし、失効の見込みについてはストック・オプション数に反映させるため、公正な評価単価の算定上は考慮しない。

7．ストック・オプション数の算定及びその見直しによる会計処理は、次のように行う。

　⑴　付与されたストック・オプション数（以下「付与数」という。）から、　権利不確定　による　失効　の見積数を控除して算定する。

　⑵　付与日から権利確定日の直前までの間に、　権利不確定　による　失効　の見積数に重要な変動が生じた場合（第11項の条件変更による場合を除く。）には、これに応じてストック・オプション数を見直す。

　　これによりストック・オプション数を見直した場合には、見直し後のストック・オプション数に基づくストック・オプションの公正な評価額に基づき、その期までに費用として計上すべき額と、これまでに計上した額との差額を見直した期の　損益　として計上する。

　⑶　権利確定日には、ストック・オプション数を権利の確定したストック・オプション数（以下「権利確定数」という。）と一致させる。

　　これによりストック・オプション数を修正した場合には、修正後のストック・オプション数に基づくストック・オプションの公正な評価額に基づき、権利確定日までに費用として計上すべき額と、これまでに計上した額との差額を権利確定日の属する期の　損益　として計上する。

結論の背景

（論点整理に対するコメント等）

34. 費用認識の要否に関する論点整理に対しては多くのコメントや公述意見が寄せられたが、会計上の考え方に関する主な指摘事項は、次のように整理することができる。

    (1) 費用認識に根拠があるとする指摘（第35項）

       従業員等は、 ストック・オプション を対価としてこれと引換えに企業に サービスを提供 し、企業はこれを 消費 しているから、費用認識に根拠がある。

    (2) 費用認識の前提条件に疑問があるとする指摘（第36項）

       費用認識に根拠があるとする指摘の前提となっている、ストック・オプションがサービスに対する対価として付与されているという前提（対価性）に疑問がある。

    (3) 費用認識に根拠がないとする指摘（第37項及び第38項）

       ストック・オプションの付与によっても、 新旧株主 間で 富の移転 が生じるに過ぎないから、現行の会計基準の枠組みの中では費用認識には根拠がない。また、ストック・オプションを付与しても、企業には現金その他の 会社財産の流出 が生じないため、費用認識に根拠がない。

    (4) 見積りの信頼性の観点から、費用認識が困難又は不適当であるとする指摘（第40項）

       ストック・オプションの公正な評価額の見積りに信頼性がない。

（費用認識に根拠があるとする指摘の検討）

35. 費用認識に根拠があるとする指摘は、従業員等に付与された ストック・オプション を対価として、これと引換えに、企業に追加的に サービスが提供 され、企業に 帰属 することとなった サービスを消費 したことに費用認識の根拠があると考えるものである。

    企業に帰属し、貸借対照表に計上されている 財貨を消費 した場合に費用認識が必要である以上、企業に 帰属 している サービスを消費 した場合にも費用を認識するのが整合的である。企業に帰属したサービスを貸借対照表に計上しないのは、単にサービスの性質上、 貯蔵性 がなく取得と同時に消費されてしまうからに過ぎず、その消費は 財貨の消費 と本質的に何ら異なるところはないからである。

36. （略）

186

（費用認識に根拠がないとする指摘の検討）

37. 費用認識に根拠がないとする指摘の背景として、現行の会計基準の枠組みにおいては、単に新旧株主間で 富の移転 が生じるだけの取引では費用認識を行っていないことが挙げられる。例えば、新株が時価未満で発行された場合には、新株を引き受ける者が当該株式の時価と発行価格との差額分の 利益 を享受する反面、既存株主にはこれに相当する 持分の希薄化 が生じ、新旧株主間で 富の移転 が生じている。このような場合、現行の会計基準の枠組みの中では、企業の株主持分の内部で 富の移転 が生じたに過ぎないと考え、時価と発行価額との差額については特に会計処理を行わない。もし、サービスの対価として従業員等にこれを付与する取引も会計上これと同様の取引であると評価することができれば、現行の会計基準の枠組みの中では 費用認識 に根拠はないということになる。

　確かにストック・オプションの付与も新旧株主間における富の移転を生じさせ得るものではあるが、新旧株主間において富の移転を生じさせたからといって、それだけで 費用認識 が否定されるわけではない。例えば、ストック・オプションに代えて株式そのものを発行した場合でも新旧株主間における富の移転は生じ得るが、そのことをもって、資産の取得や費用の発生が認識されないということにはならない。ストック・オプションは、権利行使された場合に新株が時価未満で発行されることに伴ってオプションを付与された側に生ずる利益（付与時点では、その利益に対する期待価値）を、 サービスの対価 として付与するものであり、この取引の結果、企業に帰属することとなった サービス を 消費 することにより、費用を生じる取引としての性格を有していると考えられる。

　このように、同じように新旧株主間の富の移転を生ずる取引であっても、従業員等に対してストック・オプションを付与する取引のように、対価として利用されている取引（対価関係にあるサービスの受領・消費を費用として認識する。）と、自社の株式の時価未満での発行のように、発行価額の払込み以外に、対価関係にある給付の受入れを伴わない取引とは異なる種類の取引であり、この２つを会計上同様の取引として評価する本項冒頭に掲げた指摘は必ずしも成り立たないと考えられる。

38. 費用認識に根拠がないとする指摘には、前項の指摘の他、費用として認識されているものは、いずれかの時点で現金その他の 会社財産の流出 に結び付くのが通常であるが、従業員等にサービス提供の対価としてストック・オプションを付与する取引においては、付与時点ではもちろん、サービスが

提供され、それを消費した時点においても、 会社財産の流出 はないことを理由とするものがある。しかし、第35項で述べたように、提供されたサービスの消費も 財貨の消費 と整合的に取り扱うべきであり、ストック・オプションによって取得された サービスの消費 であっても、 消費 の事実に着目すれば、企業にとっての費用と考えられる。

　さらにこの指摘は、サービスの提供を受けることの対価として 会社財産の流出 を伴う給付がないことに着目したものとも考えられる。確かに、サービスの消費があっても対価の給付がない取引では、費用は認識されない（仮に認識するとしても、無償でサービスの提供を受けたことによる利益と相殺され、損益に対する影響はない。）。しかし、ストック・オプションを付与する取引では、株式を時価未満で購入する条件付きの権利を対価としてサービスの提供を受けるのであり、 無償 でサービスの提供を受ける取引とは異なる。

　このように考えると、対価としての 会社財産の流出 は費用認識の必要条件ではなく、企業に現金その他の 会社財産の流出 がない場合には費用認識は生じないという主張は必ずしも正しくない。例えば、現行の会計基準の枠組みの中でも、償却資産の 現物出資 を受けた場合や、償却資産の 贈与 を受けた場合には、対価としての 会社財産の流出 はないが、当該資産の 減価償却費 は認識されることになる。

39. 前項までの検討から、ストック・オプションに対価性が認められる限り、これに対応して取得した サービスの消費 を費用として認識することが適当であると考えられる。

40. （略）

3 ストック・オプションに関する権利確定日後の会計処理　重要度 ★★

会計基準

8. ストック・オプションが権利行使され、これに対して新株を発行した場合には、新株予約権として計上した額（第4項）のうち、当該権利行使に対応する部分を 払込資本 に振り替える。

　　なお、新株予約権の行使に伴い、当該企業が自己株式を処分した場合には、自己株式の 取得原価 と、新株予約権の 帳簿価額 及び権利行使に伴う 払込金額 の合計額との差額は、 自己株式処分差額 であり、企業会計基準第1号「自己株式及び準備金の額の減少等に関する会計基準」第9項、第10項及び第12項により会計処理を行う。

9. 権利不行使による失効が生じた場合には、新株予約権として計上した額（第4項）のうち、当該失効に対応する部分を 利益 として計上する。この会計処理は、当該失効が確定した期に行う。

結論の背景

42.～45.　（略）

46. 取引が完結し、付与されたストック・オプションの権利が確定した後に、株価の低迷等の事情により権利が行使されないままストック・オプションが失効した場合でも、これと引換えに提供されたサービスが既に消費されている以上、過去における費用の認識自体は否定されない。しかし、ストック・オプションは 自社の株式 をあらかじめ決められた価格で 引き渡す可能性 であるにすぎないから、それが行使されないまま 失効 すれば、結果として会社は株式を時価未満で 引き渡す義務 を免れることになる。結果が確定した時点で振り返れば、会社は 無償 で提供された サービスを消費 したと考えることができる。このように、新株予約権が行使されずに消滅した結果、新株予約権を付与したことに伴う 純資産の増加 が、 株主 との 直接的な取引 によらないこととなった場合には、それを 利益 に計上した上で 株主資本 に算入する（なお、非支配株主に帰属する部分は、非支配株主に帰属する当期純利益に計上することになる。）。

47. 前項における利益は、原則として 特別利益 に計上し、「 新株予約権戻入益 」等の科目名称を用いることが適当と考えられる。

第17章

連結財務諸表に関する会計基準

最終改正　平成25年 9 月13日

（2020年 3 月31日最終修正）

会計基準

6. 「親会社」とは、他の企業の財務及び営業又は事業の方針を決定する機関（株主総会その他これに準ずる機関をいう。以下「 意思決定機関 」という。）を 支配 している企業をいい、「子会社」とは、当該 他の企業 をいう。親会社及び子会社又は子会社が、他の企業の 意思決定機関 を 支配 している場合における当該他の企業も、その親会社の 子会社 とみなす。

7. 「他の企業の意思決定機関を支配している企業」とは、次の企業をいう。ただし、財務上又は営業上若しくは事業上の関係からみて他の企業の 意思決定機関 を 支配 していないことが明らかであると認められる企業は、この限りでない。

(1) 他の企業（更生会社、破産会社その他これらに準ずる企業であって、かつ、有効な支配従属関係が存在しないと認められる企業を除く。下記(2)及び(3)においても同じ。）の議決権の 過半数 を自己の計算において所有している企業

(2) 他の企業の議決権の 100分の40 以上、 100分の50 以下を自己の計算において所有している企業であって、かつ、次のいずれかの要件に該当する企業

① 自己の計算において所有している議決権と、自己と出資、人事、資金、技術、取引等において 緊密 な関係があることにより自己の意思と同一の内容の議決権を行使すると認められる者及び自己の意思と同一の内容の議決権を行使することに 同意 している者が所有している議決権とを合わせて、他の企業の議決権の 過半数 を占めていること

② 役員若しくは使用人である者、又はこれらであった者で自己が他の企業の財務及び営業又は事業の方針の決定に関して影響を与えることができる者が、当該他の企業の取締役会その他これに準ずる機関の構成員の 過半数 を占めていること

③ 他の企業の重要な財務及び営業又は事業の方針の決定を 支配 する契約等が存在すること

④ 他の企業の資金調達額（貸借対照表の負債の部に計上されているも

の）の総額の 過半 について融資（債務の保証及び担保の提供を含む。
以下同じ。）を行っていること（自己と出資、人事、資金、技術、取引
等において緊密な関係のある者が行う融資の額を合わせて資金調達額の
総額の過半となる場合を含む。）

⑤　その他他の企業の 意思決定機関 を 支配 していることが推測さ
れる事実が存在すること

(3)　自己の計算において所有している議決権（当該議決権を所有していない
場合を含む。）と、自己と出資、人事、資金、技術、取引等において 緊
密 な関係があることにより自己の意思と同一の内容の議決権を行使する
と認められる者及び自己の意思と同一の内容の議決権を行使することに
同意 している者が所有している議決権とを合わせて、他の企業の議決
権の 過半数 を占めている企業であって、かつ、上記(2)の②から⑤まで
のいずれかの要件に該当する企業

結論の背景

連結の範囲

54.　平成９年連結原則以前の連結原則では、子会社の判定基準として、親会社
が直接・間接に議決権の 過半数 を所有しているかどうかにより判定を行
う 持株基準 が採用されていたが、国際的には、実質的な 支配関係の有
無 に基づいて子会社の判定を行う 支配力基準 が広く採用されていた。
それまで我が国で採用されていた持株基準も支配力基準の１つと解される
が、議決権の所有割合が 100分の50 以下であっても、その会社を 事
実上支配 しているケースもあり、そのような 被支配会社 を連結の範囲
に含まない連結財務諸表は、 企業集団に係る情報 としての有用性に欠け
ることになる。このような見地から、平成９年連結原則では、子会社の判定
基準として、議決権の所有割合以外の要素を加味した 支配力基準 を導入
し、他の会社（会社に準ずる事業体を含む。）の 意思決定機関 を 支配
しているかどうかという観点から、会計基準を設定した。本会計基準でも、
このような従来の取扱いを踏襲した取扱いを定めている（第６項及び第７項
参照）。

2 本会計基準の考え方

重要度 ★★★

結論の背景

51. 連結財務諸表の作成については、 親会社説 と 経済的単一体説 の2
つの考え方がある。いずれの考え方においても、単一の指揮下にある企業集
団全体の資産・負債と収益・費用を連結財務諸表に表示するという点では変
わりはないが、資本に関しては、親会社説は、連結財務諸表を 親会社 の
財務諸表の延長線上に位置づけて、 親会社の株主の持分 のみを反映させ
る考え方であるのに対して、経済的単一体説は、連結財務諸表を親会社とは
区別される 企業集団全体 の財務諸表と位置づけて、企業集団を構成する
 すべての連結会社の株主の持分 を反映させる考え方であるという点で異
なっている。

　平成9年連結原則では、いずれの考え方によるべきかを検討した結果、従
来どおり 親会社説 の考え方によることとしていた。これは、連結財務諸
表が提供する情報は主として 親会社 の投資者を対象とするものであると
考えられるとともに、親会社説による処理方法が 企業集団 の経営を巡る
現実感覚をより適切に反映すると考えられることによる。

　平成20年連結会計基準においては、親会社説による考え方と整合的な 部
分時価評価法 を削除したものの、基本的には 親会社説 による考え方を
踏襲した取扱いを定めている。

51-3. また、平成21年論点整理へのコメントや当委員会の審議において、国
際的な会計基準と同様に連結財務諸表の表示を行うことにより 比較可能性
の向上を図るべきとの意見が多くみられたことを踏まえて検討を行った結
果、平成25年改正会計基準では、当期純利益には 非支配株主に帰属する部
分 も含めることとした（第39項(3)②参照）。

　ただし、前述の平成21年論点整理で述べられている理由により、 親会社
株主 に係る成果とそれを生み出す原資に関する情報は 投資家の意思決定
に引き続き有用であると考えられることから、 親会社株主に帰属する当期
純利益 を区分して内訳表示又は付記するとともに、従来と同様に 親会社
株主に帰属する株主資本 のみを株主資本として表示することとした。この
取扱いは、 親会社株主に帰属する当期純利益 と 株主資本 との連繋に

も配慮したものである。また、親会社株主に係る成果に関する情報の有用性を勘案して、非支配株主との取引によって増加又は減少した資本剰余金の主な変動要因及び金額について注記を求めることとした（第55項及び第72項参照、企業結合会計基準第52項(4)）。

　なお、1株当たり当期純利益についても、従来と同様に、 親会社株主に帰属する当期純利益 を基礎として算定することとなる（企業会計基準第2号「1株当たり当期純利益に関する会計基準」第12項）。

3 連結財務諸表作成における一般原則

重要度 ★★

会計基準

9. 連結財務諸表は、企業集団の財政状態、経営成績及びキャッシュ・フローの状況に関して 真実な報告 を提供するものでなければならない。

10. 連結財務諸表は、企業集団に属する親会社及び子会社が 一般に公正妥当と認められる企業会計の基準 に準拠して作成した 個別財務諸表 を基礎として作成しなければならない。

11. 連結財務諸表は、企業集団の状況に関する判断を誤らせないよう、利害関係者に対し必要な財務情報を 明瞭に表示 するものでなければならない。

12. 連結財務諸表作成のために採用した基準及び手続は、 毎期継続 して適用し、 みだりに これを変更してはならない。

4 連結財務諸表作成における一般基準

重要度 ★

会計基準

連結の範囲

13. 親会社は、原則として すべての子会社 を連結の範囲に含める。

14. 子会社のうち次に該当するものは、連結の範囲に含めない。
   (1) 支配が 一時的 であると認められる企業
   (2) (1)以外の企業であって、連結することにより利害関係者の判断を著しく
      誤らせるおそれのある企業

連結貸借対照表の作成基準

重要度 ★★

会計基準

連結貸借対照表の基本原則

18. 連結貸借対照表は、親会社及び子会社の 個別貸借対照表 における 資
   産 、 負債 及び 純資産 の金額を基礎とし、子会社の資産及び負債の評
   価、連結会社相互間の投資と資本及び債権と債務の相殺消去等の処理を行っ
   て作成する。

子会社の資産及び負債の評価

20. 連結貸借対照表の作成にあたっては、 支配獲得日 において、子会社
   の 資産及び負債のすべて を 支配獲得日の時価 により評価する方法
   (全面時価評価法 ）により評価する。

21. 子会社の資産及び負債の時価による評価額と当該資産及び負債の個別貸借
   対照表上の金額との差額（以下「 評価差額 」という。）は、子会社の 資本
   とする。

22. 評価差額に重要性が乏しい子会社の資産及び負債は、個別貸借対照表上の
   金額によることができる。

結論の背景

（子会社の資産及び負債の評価）

61. 時価により評価する子会社の資産及び負債の範囲については、 部分時価
   評価法 と 全面時価評価法 とが考えられる。前者は、親会社が投資を
   行った際の親会社の持分を重視する考え方であり、後者は、親会社が子会社
   を支配した結果、子会社が企業集団に含まれることになった事実を重視する

考え方である。

　平成9年連結原則以前の連結原則の下では、投資消去差額の原因分析を通じて、結果的には 部分時価評価法 と同様の処理が行われてきたが、平成9年連結原則では国際的な動向をも考慮し、従来の 部分時価評価法 に加えて、 全面時価評価法 による処理も併せて認めることとした。

　平成9年連結原則後、 部分時価評価法 の採用はわずかであること、また、子会社株式を現金以外の対価（例えば、自社の株式）で取得する取引を対象としていた平成15年公表の「企業結合に係る会計基準」では 全面時価評価法 が前提とされたこととの整合性の観点から、本会計基準では、 全面時価評価法 のみとすることとしている（第20項参照）。なお、持分法を適用する関連会社の資産及び負債のうち投資会社の持分に相当する部分については、部分時価評価法により、これまでと同様に、原則として投資日ごとに当該日における時価によって評価する。

会計基準

投資と資本の相殺消去

23. 親会社の子会社に対する 投資 とこれに対応する子会社の 資本 は、 相殺消去 する。

   (1)　親会社の子会社に対する投資の金額は、支配獲得日の時価による。

   (2)　子会社の資本は、子会社の個別貸借対照表上の純資産の部における株主資本及び評価・換算差額等と評価差額からなる。

24. 親会社の子会社に対する投資とこれに対応する子会社の資本との相殺消去にあたり、差額が生じる場合には、当該差額を のれん （又は 負ののれん ）とする。なお、 のれん （又は 負ののれん ）は、企業結合会計基準第32項（又は第33項）に従って会計処理する。

結論の背景

（のれん又は負ののれんの計上）

64. 投資と資本の相殺消去により生じた消去差額は、 のれん （又は 負ののれん ）とされる。当該差額は、平成9年連結原則においては 連結調整勘定 とされていたが、企業結合会計基準に従い、当該差額に関する用語を のれん （又は 負ののれん ）に改めた。また、のれん及び負ののれんに関する会計処理に関しては、企業結合会計基準第32項及び第33項の定めに従うこととした（第24項参照）。この結果、支配獲得時における投資と資本の

相殺消去によって負ののれんが生じると見込まれる場合には、子会社の資産及び負債の把握並びにそれらに対する取得原価の配分が適切に行われているかどうかを 見直し 、見直しを行っても、なお生じた負ののれんは、当該負ののれんが生じた事業年度の 利益 として処理することとなる。

　なお、相殺消去の対象となる投資に持分法を適用していた場合には、持分法評価額に含まれていたのれんも含めて、のれん（又は負ののれん）が新たに計算されることとなる。

会計基準

非支配株主持分

26. 子会社の資本のうち 親会社 に帰属しない部分は、 非支配株主持分 とする。

結論の背景

非支配株主持分の表示方法

55. 平成9年連結原則以前の連結原則では、少数株主持分は 負債の部 に表示することとされていたが、平成9年連結原則では、少数株主持分は、返済義務のある負債ではなく、連結固有の項目であることを考慮して、負債の部と資本の部の中間に 独立の項目 として表示することとされた。

　その後平成17年に公表された純資産会計基準では、貸借対照表上、少数株主持分は、 純資産の部 に区分して記載することとされた。平成25年改正会計基準により、少数株主持分は 非支配株主持分 に変更された（第55－2項参照）ものの、 親会社株主に帰属する当期純利益 と 株主資本 との連繋にも配慮し、純資産の部において、 株主資本 とは区分して記載することとした（純資産会計基準第7項）。

55－2. 平成25年改正会計基準では、少数株主持分を 非支配株主持分 に変更することとした（第26項参照）。これは、他の企業の議決権の 過半数 を所有していない株主であっても他の会社を 支配 し 親会社 となることがあり得るため、 より正確な表現 とするためである。これに合わせて、少数株主損益を、 非支配株主に帰属する当期純利益 に変更することとした。

会計基準

債権と債務の相殺消去

31. 連結会社相互間の債権と債務とは、 相殺消去 する。

表示方法

32. 連結貸借対照表には、 資産の部 、 負債の部 及び 純資産の部 を設ける。

(1) 資産の部は、 流動資産 、 固定資産 及び 繰延資産 に区分し、固定資産は 有形固定資産 、 無形固定資産 及び 投資その他の資産 に区分して記載する。

(2) 負債の部は、 流動負債 及び 固定負債 に区分して記載する。

(3) 純資産の部は、企業会計基準第5号「貸借対照表の純資産の部の表示に関する会計基準」（以下「純資産会計基準」という。）に従い、区分して記載する。

連結損益及び包括利益計算書又は連結損益計算書及び連結包括利益計算書の作成基準

重要度 ★★

会計基準

連結損益及び包括利益計算書又は連結損益計算書及び連結包括利益計算書の基本原則

34. 連結損益及び包括利益計算書又は連結損益計算書及び連結包括利益計算書は、親会社及び子会社の 個別損益計算書 等における 収益 、 費用 等の金額を基礎とし、連結会社相互間の取引高の相殺消去及び未実現損益の消去等の処理を行って作成する。

連結会社相互間の取引高の相殺消去

35. 連結会社相互間における商品の売買その他の取引に係る項目は、 相殺消去 する。

表示方法

39. 連結損益及び包括利益計算書又は連結損益計算書における、営業損益計算、経常損益計算及び純損益計算の区分は、下記のとおり表示する。

(1) 営業損益計算の区分は、 売上高 及び 売上原価 を記載して 売上総利益 を表示し、さらに 販売費及び一般管理費 を記載して 営業利益 を表示する。

第17章 連結財務諸表に関する会計基準

(2) 経常損益計算の区分は、営業損益計算の結果を受け、 営業外収益 及び 営業外費用 を記載して 経常利益 を表示する。

(3) 純損益計算の区分は、次のとおり表示する。

① 経常損益計算の結果を受け、 特別利益 及び 特別損失 を記載して 税金等調整前当期純利益 を表示する。

② 税金等調整前当期純利益に 法人税額等 （住民税額及び利益に関連する金額を課税標準とする事業税額を含む。）を加減して、 当期純利益 を表示する。

③ 2計算書方式の場合は、当期純利益に 非支配株主に帰属する当期純利益 を加減して、 親会社株主に帰属する当期純利益 を表示する。
1計算書方式の場合は、当期純利益の直後に 親会社株主に帰属する当期純利益 及び 非支配株主に帰属する当期純利益 を付記する。

結論の背景

連結損益及び包括利益計算書又は連結損益計算書の表示方法

72. 平成9年連結原則において連結損益計算書は、営業損益計算、経常損益計算及び純損益計算に区分しなければならないとされている。本会計基準においても、この損益計算の区分を踏襲している。

平成20年連結会計基準では、国際的な会計基準に基づく連結損益計算書との比較を容易にするため、新たに 少数株主損益調整前当期純利益 を表示することとしていた。この結果、売上高、営業損益又は経常損益等には少数株主持分相当額も含まれていることから、これらと整合するとともに、少数株主損益を調整する前後の税引後の利益の関係がより明らかになるものと考えられた。

平成22年改正会計基準では、企業会計基準第25号において、1計算書方式の場合、連結損益計算書に替えて連結損益及び包括利益計算書を作成することと、2計算書方式の場合、連結損益計算書に加えて連結包括利益計算書を作成することが定められたことを踏まえて所要の改正を行った（第38-2項参照）。

平成25年改正会計基準では、第51-3項に記載した理由により、平成20年改正連結基準で表示することとした少数株主損益調整前当期純利益を 当期純利益 に変更した（第39項(3)②参照）。これに伴い、連結損益及び包括利益計算書又は連結損益計算書の純損益計算の区分の表示方法についても変更を行った（第39項(3)③参照）。

第18章

包括利益の表示に
関する会計基準

最終改正　2022年10月28日

1　目　的

重要度
★★★

21. 包括利益及びその他の包括利益の内訳を表示する目的は、期中に認識され
た 取引 及び 経済的事象 （ 資本取引 を除く。）により生じた 純資
産の変動 を報告するとともに、その他の包括利益の内訳項目をより明瞭に
開示することである。包括利益の表示によって提供される情報は、投資家等
の 財務諸表利用者 が 企業全体の事業活動 について検討するのに役立
つことが期待されるとともに、 貸借対照表との連携 （純資産と 包括利
益 との クリーン・サープラス関係 [1]）を明示することを通じて、財務諸
表の 理解可能性 と 比較可能性 を高め、また、国際的な会計基準との
コンバージェンスにも資するものと考えられる。

22. 包括利益の表示の導入は、包括利益を企業活動に関する最も重要な指標と
して位置づけることを意味するものではなく、 当期純利益 に関する情報
と併せて利用することにより、企業活動の 成果 についての情報の 全体
的な有用性 を高めることを目的とするものである。本会計基準は、市場関
係者から広く認められている 当期純利益 に関する 情報の有用性 を前
提としており、包括利益の表示によってその重要性を低めることを意図する
ものではない。また、本会計基準は、当期純利益の計算方法を変更するもの
ではなく、当期純利益の計算は、従来のとおり他の会計基準の定めに従うこ
ととなる。

1　ある期間における資本の増減（資本取引による増減を除く。）が当該期間の利
益と等しくなる関係をいう。

2　用語の定義

会計基準

4.「包括利益」とは、ある企業の 特定期間 の財務諸表において認識された 純資産の変動額 のうち、当該企業の 純資産 に対する 持分所有者 との直接的な取引によらない部分をいう。当該企業の純資産に対する 持分所有者 には、当該企業の 株主 のほか当該企業の発行する 新株予約権 の所有者が含まれ、連結財務諸表においては、当該企業の子会社の 非支配株主 も含まれる。

5.「その他の包括利益」とは、包括利益のうち 当期純利益 に含まれない部分をいう。連結財務諸表におけるその他の包括利益には、 親会社株主 に係る部分と 非支配株主 に係る部分が含まれる。

結論の背景

24. 本会計基準においては、包括利益を構成する純資産の変動額は、あくまで 財務諸表 において認識されたものに限られることを明確にするため、「特定期間の財務諸表において認識された純資産の変動額」としている。また、企業の純資産に対する持分所有者には、当該企業の株主、新株予約権の所有者、子会社の非支配株主を含むものとしている。

3 包括利益の計算の表示　重要度 ★★

会計基準

6. 当期純利益 に その他の包括利益 の内訳項目を加減して包括利益を表示する。

(結論の背景)

27. 包括利益の計算は、当期純利益からの 調整計算 の形で示すこととしている。定義に従った計算過程とは異なるが、このような計算の表示の方が有用と考えられ、国際的な会計基準においても同様の方式が採られている。

4 包括利益を表示する計算書　重要度 ★★

会計基準

11. 包括利益を表示する計算書は、次のいずれかの形式による。連結財務諸表においては、包括利益のうち親会社株主に係る金額及び非支配株主に係る金額を付記する。

　(1)　当期純利益を表示する 損益計算書 と、第6項に従って包括利益を表示する 包括利益計算書 からなる形式（ 2計算書方式 ）

　(2)　当期純利益の表示と第6項に従った包括利益の表示を1つの計算書（「 損益及び包括利益計算書 」）で行う形式（ 1計算書方式 ）

(結論の背景)

36. 論点整理及び平成22年会計基準の公開草案に対するコメントでは、 当期純利益 を重視する観点から、1計算書方式では 包括利益 が強調されすぎる可能性がある等の理由で、 当期純利益 と 包括利益 が明確に区分される2計算書方式を支持する意見が多く見られた。一方、当委員会での審

議の中では、 一覧性 、 明瞭性 、 理解可能性 等の点で利点があるとして１計算書方式を支持する意見も示された。

37.　検討の結果、本会計基準では、コメントの中で支持の多かった２計算書方式とともに、１計算書方式の選択も認めることとしている。これは、前述のような１計算書方式の利点に加え、以下の点を考慮したものである。

⑴　現行の国際的な会計基準では両方式とも認められていること

⑵　第35項に述べたIASBとFASBとの検討の方向性を踏まえると、短期的な対応としても１計算書方式を利用可能とすることがコンバージェンスに資すると考えられること

⑶　１計算書方式でも２計算書方式でも、包括利益の内訳として表示される内容は同様であるため、選択制にしても 比較可能性 を著しく損なうものではないと考えられること

37 - 2.（略）

5 適用時期等

重要度
★

会計基準

16.　連結財務諸表上は、これまでに公表された会計基準等で使用されている「損益計算書」又は純資産の部の「評価・換算差額等」という用語は、「 連結損益計算書又は連結損益及び包括利益計算書 」又は「 その他の包括利益累計額 」と読み替えるものとする。また、この場合、当該会計基準等で定められている評価・換算差額等の取扱いは本会計基準が優先するものとする。

16 - 2.　本会計基準は、当面の間、個別財務諸表には適用しないこととする。

16 - 3.（略）

16 - 4.（略）

結論の背景

41.　第11項で認めている２つの表示方法のうち１計算書方式を採用する場合には、従来の損益計算書の内容は、損益及び包括利益計算書の一部となる。このため、連結財務諸表上は、これまでに公表されている会計基準等で使用さ

れている「損益計算書」の用語は、「連結損益計算書又は連結損益及び包括利益計算書」と読み替えることとしている。なお、本会計基準は、法令等で使用されている損益計算書の呼称の変更を求めることを必ずしも意図したものではない。

42. また、本会計基準は、当面の間、個別財務諸表には適用しないことから、連結財務諸表上は、これまでに公表されている会計基準等で使用されている純資産の部の「評価・換算差額等」という用語は、「その他の包括利益累計額」と読み替え、当該会計基準等で定められている評価・換算差額等の取扱いは本会計基準が優先するものとしている。

42-2.（略）

第19章

会計方針の開示、会計上の変更及び誤謬の訂正に関する会計基準

改正　2020年3月31日

会計基準

4．本会計基準における用語の定義は次のとおりとする。

(1) 「会計方針」とは、財務諸表の作成にあたって採用した 会計処理の原則及び手続 をいう。

(2) 「表示方法」とは、財務諸表の作成にあたって採用した 表示の方法 （注記による開示も含む。）をいい、財務諸表の科目分類、科目配列及び報告様式が含まれる。

(3) 「会計上の見積り」とは、 資産及び負債 や 収益及び費用 等の額に 不確実性 がある場合において、財務諸表作成時に 入手可能な情報 に基づいて、その 合理的な金額 を算出することをいう。

(4) 「会計上の変更」とは、 会計方針の変更 、 表示方法の変更 及び 会計上の見積りの変更 をいう。過去の財務諸表における 誤謬の訂正 は、会計上の変更には該当しない。

(5) 「会計方針の変更」とは、従来採用していた 一般に公正妥当と認められた会計方針 から他の 一般に公正妥当と認められた会計方針 に変更することをいう。

(6) 「表示方法の変更」とは、従来採用していた 一般に公正妥当と認められた表示方法 から他の 一般に公正妥当と認められた表示方法 に変更することをいう。

(7) 「会計上の見積りの変更」とは、 新たに入手可能となった情報 に基づいて、過去に財務諸表を作成する際に行った 会計上の見積り を変更することをいう。

(8) 「誤謬」とは、原因となる行為が意図的であるか否かにかかわらず、財務諸表作成時に 入手可能な情報 を 使用 しなかったことによる、又はこれを 誤用 したことによる、次のような誤りをいう。

① 財務諸表の基礎となるデータの収集又は処理上の誤り

② 事実の見落としや誤解から生じる会計上の見積りの誤り

③ 会計方針の適用の誤り又は表示方法の誤り

(9) 「遡及適用」とは、新たな会計方針を過去の財務諸表に遡って適用して

いたかのように会計処理することをいう。

⑽ 「財務諸表の組替え」とは、新たな表示方法を過去の財務諸表に遡って適用していたかのように表示を変更することをいう。

⑾ 「修正再表示」とは、過去の財務諸表における誤謬の訂正を財務諸表に反映することをいう。

結論の背景

（会計方針及び会計方針の変更）

36. 我が国において会計方針とは、これまで一般に、財務諸表作成にあたって採用している 会計処理の原則及び手続並びに表示方法 その他財務諸表作成のための基本となる事項を指すとされていた（企業会計原則注解（注1－2））。すなわち、 会計処理の原則及び手続 のみならず、 表示方法 を包括する概念であるとされていた。

一方、国際財務報告基準では、IAS第8号において、会計方針とは、企業が財務諸表を作成及び表示するにあたって適用する特定の原則、基礎、慣行、規則及び実務をいうとされており、財務諸表の表示の全般的な定め（表示の継続性に関する定めを含む。）については、別途IAS第1号で扱われている。このため、国際財務報告基準では、会計方針には表示方法のすべてが含まれているわけではないと考えられる。（後略）

37. 当委員会は、国際的な会計基準とのコンバージェンスを踏まえた遡及処理の考え方を導入するにあたり、会計方針の定義について、国際的な会計基準を参考に、 表示方法 を切り離して定義するか否かを検討した。

これについては、我が国の従来の会計方針の定義を変更しなくても、その中で会計処理の原則及び手続と表示方法とに分け、それぞれに取扱いを定めることで対応すれば足りるのではないかという意見がある。一方、国際的な会計基準も参考に、会計方針と表示方法の定義を見直すべきであるとの意見がある。

検討の結果、 会計上の取扱い が異なるものは、 別々に定義 することが適当であると考えられることから、国際的な会計基準との コンバージェンス の観点も踏まえ、本会計基準においては会計方針と表示方法とを 別々に定義 （第4項⑴及び⑵参照）した上で、それぞれについての取扱いを定めることとした。

（会計上の変更）

43. 遡及処理については、それが過去の誤謬の訂正に関して行われたものであ

るのか、それとも、会計方針の変更及び表示方法の変更のように専ら 比較
可能性 を担保する会計情報を提供するために行われたものであるのかの区
別が、開示制度等との関係で重要であると考えられる。このため、本会計基
準ではまず、会計方針の変更、表示方法の変更及び会計上の見積りの変更を
「 会計上の変更 」と定義するとともに、過去の財務諸表における誤謬の訂正
は、 会計上の変更 に含まれないことを明確にすることで、両者の区別を
より明らかにすることとした（第4項(4)参照）。

（遡及処理）

44. 国際的な会計基準では、遡及処理を行うものを、会計方針の変更に関する
「遡及適用」や表示方法の変更に関する「財務諸表の組替え」とは別に、過
去の誤謬の訂正については「修正再表示」と定義して、明確に区別している。
本会計基準でも、国際的な会計基準を参考に、「 遡及適用 」及び「 財務諸
表の組替え 」と「 修正再表示 」とを分けて定義することとした（第4項(9)
から(11)参照）。

2 会計上の変更の取扱い 重要度 ★★★

(1) 会計方針の変更の取扱い

① 会計方針の変更の分類

会計基準

5. 会計方針は、 正当な理由 により変更を行う場合を除き、 毎期継続 し
て適用する。 正当な理由 により変更を行う場合は、次のいずれかに分類
される。

　(1) 会計基準等の改正 に伴う会計方針の変更

　　 会計基準等の改正 によって特定の会計処理の原則及び手続が強制さ
れる場合や、従来認められていた会計処理の原則及び手続を任意に選択す
る余地がなくなる場合など、会計基準等の改正に伴って会計方針の変更を
行うことをいう。会計基準等の改正には、既存の会計基準等の改正又は廃

止のほか、新たな会計基準等の設定が含まれる。

　　なお、会計基準等に早期適用の取扱いが定められており、これを適用する場合も、会計基準等の改正に伴う会計方針の変更として取り扱う。

⑵　⑴以外の　正当な理由　による会計方針の変更

　　正当な理由　に基づき自発的に会計方針の変更を行うことをいう。

結論の背景

45.　国際的な会計基準と同様、我が国においても、「　継続性の原則　」（企業会計原則第一 5）により、企業は同一の会計方針を継続して適用することが求められており、いったん採用した　会計処理の原則又は手続　は、正当な理由　により変更を行う場合を除き、財務諸表を作成する各時期を通じて継続して適用しなければならないとされている（企業会計原則注解（注3））。このため、本会計基準においても、会計方針の継続性に関する従来の考え方を踏襲し、正当な理由　により変更を行う場合を、⑴　会計基準等の改正　に伴う会計方針の変更の場合と、⑵⑴以外の　正当な理由　による会計方針の変更の場合に分類している（第5項参照）。⑴及び⑵は、原則として　遡及適用　が求められることなどの取扱いは同様であるが、⑴では該当の会計基準等に経過的な取扱いが定められている場合の取扱いを設ける必要があること（第6項⑴参照）や、注記で求められる情報の内容も異なること（第10項及び第11項参照）などから、本会計基準では、この2つの分類ごとに、その取扱いを定めることとした。

　　なお、改正された会計基準等の適用について、会計方針の変更に該当するかどうかについては判断が明らかでない場合があるとの意見があるが、これについては、個々の会計基準等の改正の際に、取扱いが示されることになるものと考えられる。

②　会計方針の変更に関する原則的な取扱い

会計基準

6.　会計方針の変更に関する原則的な取扱いは、次のとおりとする。

⑴　会計基準等の改正　に伴う会計方針の変更の場合

　　会計基準等に特定の経過的な取扱い（適用開始時に遡及適用を行わないことを定めた取扱いなどをいう。以下同じ。）が定められていない場合には、新たな会計方針を過去の期間のすべてに　遡及適用　する。会計基準等に特定の経過的な取扱いが定められている場合には、その経過的な取扱

いに従う。

(2) (1)以外の 正当な理由 による会計方針の変更の場合

新たな会計方針を過去の期間のすべてに 遡及適用 する。

7．前項に従って新たな会計方針を 遡及適用 する場合には、次の処理を行う。

(1) 表示期間（当期の財務諸表及びこれに併せて過去の財務諸表が表示されている場合の、その表示期間をいう。以下同じ。）より前の期間に関する遡及適用による 累積的影響額 は、表示する財務諸表のうち、最も古い期間の期首の 資産 、 負債 及び 純資産 の額に反映する。

(2) 表示する過去の各期間の財務諸表には、当該各期間の 影響額 を反映する。

結論の背景

46．我が国の従来の取扱いでは、財務諸表等規則等において、会計方針の変更を行った場合、会計方針の変更が当該変更期間の財務諸表に与えた影響に関する 注記 を求める定めはあるものの、過去の財務諸表に新しい会計方針を 遡及適用 することを求める定めはない。

一方、国際財務報告基準ではIAS第8号において、また米国会計基準ではFASB‐ASC Topic250において、会計方針の変更に関し、新たに適用された会計基準等に経過的な取扱いが定められていない場合や自発的に会計方針を変更した場合には、原則として新たな会計方針の遡及適用を求めている。会計方針の変更を行った場合に過去の財務諸表に対して新しい会計方針を遡及適用すれば、原則として財務諸表本体のすべての項目（会計処理の変更に伴う注記の変更も含む。）に関する情報が比較情報として提供されることにより、特定の項目だけではなく、 財務諸表全般 についての 比較可能性 が高まるものと考えられる。また、当期の財務諸表との比較可能性を確保するために、過去の財務諸表を変更後の会計方針に基づき比較情報として提供することにより、 情報の有用性 が高まることが期待される。

検討の結果、本会計基準においても、会計方針の変更に関しては、遡及適用を行わず注記のみによる対応から、国際的な会計基準と同様に、過去の財務諸表への 遡及適用 による対応に転換することとした（第6項参照）。(後略)

(2) 表示方法の変更の取扱い

表示方法の変更に関する原則的な取扱い

会計基準

13. 表示方法は、次のいずれかの場合を除き、毎期継続して適用する。
   (1) 表示方法を定めた会計基準又は法令等の改正により表示方法の変更を行う場合
   (2) 会計事象等を財務諸表により適切に反映するために表示方法の変更を行う場合

14. 財務諸表の表示方法を変更した場合には、原則として表示する過去の財務諸表について、新たな表示方法に従い 財務諸表の組替え を行う。

結論の背景

52. 我が国の従来の取扱いでは、財務諸表等規則等において、原則として、財務諸表を作成する各時期を通じて、同一の表示方法を採用し、表示方法の変更を行った場合には、過去の財務諸表との比較を行うために必要な 注記 を行うこととされているが、比較情報として表示される過去の 財務諸表の組替え は求められていない。一方、国際財務報告基準では、IAS第1号において、財務諸表上の項目の表示及び分類は、原則として継続しなければならないとした上で、表示又は分類を変更した場合には、原則として比較情報を組み替えるものとし、当該組替えの内容や理由などの一定の注記を求めている。また、米国会計基準でもFASB-ASC Topic205において、過去の財務諸表についても当期と同様に表示されること、つまり組替えが望ましいとされ、組替えやその他の理由によって表示方法が変更された場合には、当該変更に関する注記を行う必要があるとされている。

表示方法の変更を行った場合に過去の 財務諸表の組替え を求めることは、会計方針の変更について原則として遡及適用を求めることと同様に、財務諸表全般についての 比較可能性 が高まり、情報の有用性 がより高まるなどの効果が期待できる。

検討の結果、本会計基準では、表示方法は(1)表示方法を定めた会計基準又は法令等の改正により表示方法の変更を行う場合、又は(2)会計事象等を財務諸表により適切に反映するために表示方法の変更を行う場合を除き、毎期継続して適用し（第13項参照）、表示方法の変更を行った場合には、原則とし

て、比較情報として表示される過去の財務諸表を、新たに採用した表示方法により遡及的に組み替えることとした（第14項参照）。このうち、(2)は、企業の事業内容又は企業内外の経営環境の変化などにより、会計事象等を財務諸表により適切に反映するために表示方法の変更を行う場合が該当すると考えられる。（後略）

(3) 会計上の見積りの変更の取扱い

① 会計上の見積りの変更に関する原則的な取扱い

会計基準

17. 会計上の見積りの変更は、当該変更が変更期間のみに影響する場合には、当該 | 変更期間 | に会計処理を行い、当該変更が将来の期間にも影響する場合には、| 将来 | にわたり会計処理を行う。

結論の背景

55. 我が国の従来の取扱いにおいては、会計上の見積りの変更をした場合、過去の財務諸表に遡って処理することは求められていない。また、国際的な会計基準においても、会計上の見積りの変更は、| 新しい情報 | によってもたらされるものであるとの認識から、過去に遡って処理せず、その影響は将来に向けて認識するという考え方がとられている。

　検討の結果、本会計基準では、会計上の見積りの変更に関しては従来の取扱いを踏襲し、過去に遡って処理せず、その影響を | 当期以降 | の財務諸表において認識することとした（第17項参照）。

　なお、我が国の従来の取扱いでは、企業会計原則注解（注12）において、過年度における引当金過不足修正額などを前期損益修正として | 特別損益 | に表示することとされている。本会計基準においては、引当額の過不足が計上時の | 見積り誤り | に起因する場合には、過去の | 誤謬 | に該当するため、| 修正再表示 | を行うこととなる。一方、過去の | 財務諸表作成時 | において | 入手可能な情報 | に基づき最善の見積りを行った場合には、| 当期中における状況の変化 | により | 会計上の見積りの変更 | を行ったときの差額、又は実績が確定したときの見積金額との差額は、その変更のあった期、又は実績が確定した期に、その性質により、| 営業損益 | 又は | 営業外損益 | として認識することとなる。

56. 会計上の見積りの変更のうち当期に影響を与えるものには、 当期 だけに影響を与えるものもあれば、 当期 と 将来 の期間の両方に影響を与えるものもある。例えば、回収不能債権に対する貸倒見積額の見積りの変更は当期の損益や資産の額に影響を与え、当該影響は当期においてのみ認識される。一方、有形固定資産の耐用年数の見積りの変更は、当期及びその資産の残存耐用年数にわたる将来の各期間の減価償却費に影響を与える。このように、当期に対する変更の影響は当期の損益で認識し、将来に対する影響があれば、その影響は将来の期間の損益で認識することとなる。

（臨時償却に関する検討）

57. 当委員会では、会計上の見積りの変更に関する全般的な取扱いの検討と並行して、従来の我が国の取扱いの中で認められている、 固定資産の耐用年数の変更 等に関する 臨時償却 の考え方を残すかどうかについても検討を行った。

　臨時償却は、 耐用年数の変更等に関する影響額 を、その 変更期間で一時に認識 する方法（以下 キャッチ・アップ方式 という。）である。これまでは、 キャッチ・アップ方式 により、見積りの変更の実態により適合した会計処理が可能になる場合があると考えられていた。また、後述するように、仮にそのような場合があったとしても、減損処理の中に耐用年数の変更の影響も含めて処理できることが多いのではないかという指摘があるが、減損処理は、キャッシュ・フローの生成単位で資産をグルーピングした上で行うことから、すべての状況において、必ずしもそのような効果が期待できるわけではないという指摘もある。

　一方、キャッチ・アップ方式に関しては、実質的に 過去の期間 への 遡及適用 と同様の効果をもたらす処理となることから、 新たな事実の発生 に伴う見積りの変更に関する会計処理としては、適切な方法ではないのではないかという指摘がある。また、現在、国際的な会計基準では、その採用は認められていないと解釈されている。さらに、 キャッチ・アップ方式 による処理が適切と思われる状況があったとしても、その場合には耐用年数の短縮に 収益性の低下 を伴うことが多く、 減損処理 の中で両方の影響を含めて処理できるという指摘や、そもそも 臨時償却 として処理されている事例の多くが、将来に生じる 除却損 の 前倒し的な意味合い が強いのではないかという指摘もある。

　検討の結果、本会計基準では、国際的な会計基準とのコンバージェンスの観点も踏まえ、臨時償却は廃止し、 固定資産の耐用年数の変更 等につい

ては、$\boxed{\text{当期以降}}$ の $\boxed{\text{費用配分}}$ に影響させる方法 （$\boxed{\text{プロスペクティブ方}}$ $\boxed{\text{式}}$）のみを認める取扱いとすることとした。

② 会計方針の変更を会計上の見積りの変更と区別することが困難な場合の取扱い

会計基準

19. 会計方針の変更を会計上の見積りの変更と区別することが困難な場合については、$\boxed{\text{会計上の見積りの変更}}$ と同様に取り扱い、$\boxed{\text{遡及適用}}$ は行わない。ただし、注記については、第11項(1)、(2)及び前項(2)に関する記載を行う。

20. $\boxed{\text{有形固定資産等の減価償却方法}}$ 及び $\boxed{\text{無形固定資産の償却方法}}$ は、会計方針に該当するが、その変更については前項により取り扱う。

結論の背景

（減価償却方法の変更の取扱いに関する考え方の類型）

59. 国際的な会計基準においては、減価償却方法の変更は、会計上の見積りの変更と同様に取り扱うこととされているため、遡及適用の対象とはされていない。一方、我が国においては、これまで、企業会計原則注解（注1－2）にあるように、減価償却方法は会計方針の1つとされており、また、その変更は会計方針の変更として取り扱われている。従来の取扱いでは、固定資産の取得原価を各期に配分する方法として、定率法や定額法などの一定の計画的・規則的な配分方法があることを所与とし、そのような複数の会計処理の中での選択の問題として捉えているものと考えられる。当委員会では、我が国において会計方針の変更に遡及適用の考え方を導入するにあたり、減価償却方法の変更についてどのように考えるべきであるかを検討した。

60. この点について国際財務報告基準では、まず減価償却方法自体は、資産に具現化された将来の経済的便益が消費されるにつれて減価償却を行うという会計方針を適用する際に使用する手法と位置付けた上で、使用される減価償却方法は、資産の将来の経済的便益が企業によって消費されると予測されるパターンを反映することとしている。さらに、適用される減価償却方法は毎期見直し、もし、予測された消費パターンに大きな変更があった場合は、当該パターンを反映するようにこれを変更し、会計上の見積りの変更として会計処理しなければならないとしている。すなわち、減価償却方法は、減価償却を認識するという会計方針を適用する際に使用する手法であるため、その手法の変更は会計方針の変更ではなく、資産に具現化された将来の経済的便

216

益の予測消費パターンの変更を意味するものであることから、当該減価償却方法の変更は会計上の見積りの変更に該当するという考え方をとっているものと思われる。

　他方、減価償却方法については、そもそも固定資産の経済的便益の消費パターンの見積りが固定資産の取得時点では難しいからこそ、計画的・規則的な償却を行っているのが歴史的な経緯であるという考え方がある。この考え方に基づけば、減価償却方法の変更は、見積りの要素とは直接的な関係を持たないため、何らかの理由で変更する場合には、会計方針の変更に関する原則的な取扱いに従い、遡及適用を求めるということが考えられる。

　また、上記とは別に、減価償却方法自体は会計方針を構成するが、減価償却方法の変更は、会計上の見積りの変更と同様に取り扱うとする考え方もある。米国会計基準では、会計方針の変更と会計上の見積りの変更とを区分することは、時として困難であるとし、その一例として減価償却方法の変更を挙げている。さらに、将来の経済的便益の予測消費パターンが変化したものと判断した上で、新しい減価償却方法が当該パターンをよりよく反映すると考えられる場合には、会計方針の変更によりもたらされる会計上の見積りの変更を行う正当性を示し得るとの考え方が示されている。

（本会計基準における減価償却方法の考え方）

61. 我が国に限らず、国際的にも、減価償却方法として実際に用いられている方法は、定率法、定額法、生産高比例法などの計画的・規則的な償却方法に限られている。減価償却方法の変更を会計上の見積りの変更の1つとして捉える場合には、経済的便益に関する消費のパターンに合致した減価償却方法が認められることが必要となるが、このような考え方は、現実に用いられている減価償却方法がいくつかの方法に限られている実態と整合していないのではないかという指摘がある。

　また、仮にそのような実務が可能であったとしても、より実態に即した減価償却方法が選択されることによる便益よりも、会計方針であれば必要とされる 継続性の原則 による牽制効果が期待できなくなることや、実質的には複数の会計処理の選択の余地を増やすことになる弊害の方が大きいのではないかという指摘もある。さらに、会計上の見積りの変更と捉えれば、採用している減価償却方法が合理的な見積りを反映しているかどうか確認する必要があるが、その合理性を常時検証し続けるという対応は現実には不可能なのではないかという指摘もある。

　一方、減価償却方法の変更にあたっては、固定資産に関する経済的便益の

消費パターンに照らし、計画的・規則的な償却方法の中から最も適合的な方法を選択することは可能なのではないかという指摘もある。また、我が国においても、固定資産に関する経済的便益の消費パターンに変動があったことを減価償却方法の変更の理由としている実務がみられる。

62. 減価償却方法の変更は、前項で指摘されているように計画的・規則的な償却方法の中での変更であることから、その変更は 会計方針 の変更ではあるものの、その変更の場面においては固定資産に関する経済的便益の消費パターンに関する 見積りの変更 を伴うものと考えられる。

このため本会計基準においては、減価償却方法については、これまでどおり 会計方針 として位置付けることとする一方、減価償却方法の変更は、会計方針の変更を 会計上の見積りの変更 と区別することが 困難 な場合（第19項参照）に該当するものとし、 会計上の見積りの変更 と同様に会計処理を行い、その 遡及適用 は求めないこととした。

ただし、減価償却方法は会計方針であることから、変更にあたって 正当な理由 が求められることや、米国会計基準において、会計方針の変更によりもたらされる会計上の見積りの変更については、会計方針の変更と同様の内容の注記を要するものとされていることから、本会計基準においても、第11項(1)及び(2)の注記に加え、第18項(2)に関する注記を行うこととした。

なお、無形固定資産の償却方法の変更に関しても、本会計基準においては米国会計基準と同じく、有形固定資産等の減価償却方法の変更と同様の取扱いを求めることとした（第20項参照）。

3 過去の誤謬の取扱い

重要度 ★★

会計基準

21. 過去の財務諸表における誤謬が発見された場合には、次の方法により 修正再表示 する。

(1) 表示期間より前の期間に関する 修正再表示 による 累積的影響額 は、表示する財務諸表のうち、最も古い期間の期首の 資産 、 負債 及び 純資産 の額に反映する。

⑵　表示する過去の各期間の財務諸表には、当該各期間の 影響額 を反映する。

（結論の背景）

63.　我が国における会計上の 誤謬 の取扱いに関する定めとしては、前期損益修正項目 に関して定めた企業会計原則注解（注12）がある。ここでいう前期損益修正項目は、過去の期間の損益に含まれていた計算の誤りあるいは不適当な判断を当期において発見し、その修正を行うことから生じる 損失項目 又は 利得項目 であると一般に考えられている。このように、我が国における従来の過去の 誤謬 の取扱いとしては、前期損益修正項目 として 当期の損益 で修正する方法が示されており、修正再表示 する方法は定められていなかった。

　一方、国際財務報告基準では、IAS第8号において、重要な誤謬を含む財務諸表、又は重要性はないものの意図的な誤謬を含む財務諸表は、国際財務報告基準に準拠していないこととし、後の期間に発見された誤謬については、後の期間の比較財務諸表の中で訂正することとされている。また、米国会計基準でもFASB－ASC Topic250において、財務諸表の公表後に誤謬が発見された場合には、過去の財務諸表を修正再表示することとされている。

64.　我が国においては、財務諸表に重要な影響を及ぼすような過去の誤謬が発見された場合、当該誤謬が金融商品取引法上の訂正報告書の提出事由に該当するときには、財務諸表の訂正を行うことになるため、過去の誤謬の訂正の枠組みは開示制度において手当て済みであるという意見がある。また、訂正報告書の提出事由に該当しない誤謬についても、前期損益修正項目として特別損益に計上する従来の会計上の誤謬の取扱いを、特段変更する必要はないという意見もある。

65.　しかしながら、会計上の誤謬の取扱いに関し、IAS第8号及びFASB－ASC Topic250における誤謬を修正再表示する考え方を導入することは、期間比較 が可能な情報を開示するという観点からも有用であり、国際的な会計基準とのコンバージェンスを図るという観点からも望ましいと考えられる。また、誤謬のある過去の財務諸表を修正再表示することは、会計方針の変更に関する遡及適用等とは性格が異なっており、比較可能性の確保や会計基準のコンバージェンスの促進という観点からではなく、当然の要請 として会計基準に定めておくべきであるとの指摘がある。さらに、すべての企業に対して過去の誤謬の修正再表示を求めるのであれば、従来の会計上の誤

謬の取扱いを変更することが必要であるという指摘もある。

　検討の結果、過去の誤謬に関する取扱いについても、国際的な会計基準と同様に、会計基準においてその取扱いを設けることとした（第21項参照）。本会計基準の適用により、過去の誤謬を 前期損益修正項目 として当期の特別損益で修正する従来の取扱いは、比較情報として表示される過去の財務諸表を 修正再表示 する方法に変更されることになるが、重要性の判断に基づき、過去の財務諸表を 修正再表示 しない場合は、損益計算書上、その性質により、営業損益 又は 営業外損益 として認識する処理が行われることになると考えられる。

　なお、本会計基準は、当期の財務諸表及びこれに併せて比較情報として過去の財務諸表が表示されている場合を前提に誤謬の取扱いについて定めており、既に公表された財務諸表自体の訂正期間及び訂正方法は、各開示制度の中で対応が図られるものと考えられる。

第20章

収益認識に関する
会計基準

改正　2020年3月31日
（2022年8月26日最終修正）

1 範 囲

重要度
★

会計基準

3. 本会計基準は、次の(1)から(7)を除き、顧客との契約から生じる収益に
   関する会計処理及び開示に適用される。
   (1) 企業会計基準第10号「金融商品に関する会計基準」(以下「金融商品会
       計基準」という。)の範囲に含まれる金融商品に係る取引
   (2) 企業会計基準第13号「リース取引に関する会計基準」(以下「リース会
       計基準」という。)の範囲に含まれるリース取引
   (3) 保険法(平成20年法律第56号)における定義を満たす保険契約
   (4) 顧客又は潜在的な顧客への販売を容易にするために行われる同業他社と
       の商品又は製品の交換取引(例えば、2つの企業の間で、異なる場所にお
       ける顧客からの需要を適時に満たすために商品又は製品を交換する契約)
   (5) 金融商品の組成又は取得に際して受け取る手数料
   (6) (略)
   (7) (略)

結論の背景

開発にあたっての基本的な方針
2018年会計基準

97. 当委員会では、収益認識に関する会計基準の開発にあたっての基本的な方
    針として、IFRS第15号と整合性を図る便益の1つである国内外の企業間
    における財務諸表の比較可能性の観点から、IFRS第15号の基本的な原則
    を取り入れることを出発点とし、会計基準を定めることとした。また、これ
    まで我が国で行われてきた実務等に配慮すべき項目がある場合には、比較
    可能性を損なわせない範囲で代替的な取扱いを追加することとした。

2020年改正会計基準

101-2. 2020年改正会計基準に定める注記事項に関して、本会計基準の開発
    過程において、IFRS第15号と同様の定めを取り入れるべきであるとの意見
    が寄せられた一方で、IFRS第15号と同様の定めを取り入れることについて
    懸念する意見も寄せられた。

　この点、2018年会計基準の会計処理の定めを開発するにあたっての基本的な方針として、当委員会では、IFRS第15号と整合性を図る便益の１つである、国内外の企業間における財務諸表の比較可能性 を確保する観点から、IFRS第15号の定めを基本的にすべて取り入れることとしており、その結果として、収益認識に関する会計処理についてはIFRS第15号及びTopic606と同様の基準となっている。

101-3．これまで国際的な整合性を図る観点から会計基準等の開発を行う際に、会計処理については、開発する会計基準に準拠して行われる会計処理により得られる財務情報が国際的な会計基準に基づく財務情報と大きく異ならないように開発を行った場合であっても、注記事項については、必ずしも会計処理と同様の対応を行っていない。

　ここで、収益は、企業の主な営業活動からの 成果 を表示するものとして企業の経営成績を表示するうえで重要な財務情報と考えられ、収益に関する情報によって、財務諸表利用者は、企業の顧客との契約及び当該契約から生じる収益を適切に理解できるようになり、より適切な 将来キャッシュ・フローの予測 ができるようになることから、より適切な経済的意思決定ができるようになると考えられる。

範囲

102．本会計基準で取り扱う範囲は、IFRS第15号と同様に、顧客との契約から生じる収益 とし、顧客との契約から生じるものではない取引又は事象から生じる収益は、本会計基準で取り扱わないこととした。

　契約の相手方が、対価と交換に企業の通常の営業活動により生じたアウトプットである財又はサービスを得るために当該企業と契約した当事者である顧客である場合にのみ、本会計基準が適用される。

2 用語の定義

重要度
★★

会計基準

5．「契約」とは、法的な強制力 のある権利及び義務を生じさせる複数の当事者間における 取決め をいう。

6．「顧客」とは、対価と交換に企業の通常の営業活動により生じたアウトプットである 財又はサービス を得るために当該 企業と契約した当事者 をいう。

7．「履行義務」とは、顧客との契約において、次の(1)又は(2)のいずれかを 顧客に移転する約束 をいう。

  (1) 別個の 財又はサービス （あるいは別個の 財又はサービス の 束 ）

  (2) 一連の別個の 財又はサービス （特性が実質的に同じであり、顧客への移転のパターンが同じである複数の 財又はサービス ）

8．「取引価格」とは、 財又はサービス の 顧客への移転 と交換に 企業が権利を得ると見込む対価の額 （ただし、 第三者のために回収する額 を除く。）をいう。

9．「独立販売価格」とは、 財又はサービス を独立して企業が顧客に販売する場合の 価格 をいう。

10．「契約資産」とは、企業が顧客に移転した 財又はサービス と交換に受け取る対価に対する 企業の権利 （ただし、顧客との契約から生じた 債権 を除く。）をいう。

11．「契約負債」とは、 財又はサービス を顧客に移転する企業の義務に対して、企業が顧客から 対価 を受け取ったもの又は対価を受け取る 期限 が到来しているものをいう。

12．「顧客との契約から生じた債権」とは、企業が顧客に移転した 財又はサービス と交換に受け取る対価に対する 企業の権利 のうち 無条件 のもの（すなわち、対価に対する 法的な請求権 ）をいう。

13．「工事契約」とは、 仕事の完成 に対して対価が支払われる 請負契約 のうち、土木、建築、造船や一定の機械装置の製造等、基本的な仕様や作業内容を 顧客の指図 に基づいて行うものをいう。

14．「受注制作のソフトウェア」とは、契約の形式にかかわらず、 特定のユーザー 向けに制作され、提供されるソフトウェアをいう。

15．「原価回収基準」とは、履行義務を充足する際に 発生する費用 のうち、 回収することが見込まれる費用の金額 で 収益 を認識する方法をいう。

（結論の背景）

112．工事契約については、工事契約会計基準における定義を踏襲している。

なお、請負契約ではあっても専らサービスの提供を目的とする契約や、外形上は工事契約に類似する契約であっても、工事に係る労働サービスの提供そのものを目的とするような契約は、工事契約会計基準と同様に、工事契約に含まれない。

113. 受注制作のソフトウェアの範囲については、工事契約会計基準と同様に、「研究開発費等に係る会計基準」（平成10年３月企業会計審議会）及びソフトウェア取引実務対応報告を踏襲している。

3 会計処理　重要度 ★★★

(1) 基本となる原則

【会計基準】

16. 本会計基準の基本となる原則は、約束した 財又はサービス の 顧客への移転 を当該 財又はサービス と 交換 に企業が権利を得ると見込む 対価の額 で描写するように、収益 を認識することである。

17. 前項の基本となる原則に従って収益を認識するために、次の(1)から(5)のステップを適用する。

(1) 顧客 との 契約 を識別する。

本会計基準の定めは、顧客と合意し、かつ、所定の要件を満たす契約に適用する。

(2) 契約における 履行義務 を識別する。

契約において顧客への移転を約束した 財又はサービス が、所定の要件を満たす場合には別個のものであるとして、当該約束を履行義務として区分して識別する。

(3) 取引価格 を算定する。

変動対価 又は現金以外の対価の存在を考慮し、金利相当分の影響及び顧客に支払われる対価について調整を行い、取引価格を算定する。

(4) 契約における履行義務に 取引価格 を 配分 する。

契約において約束した別個の 財又はサービス の 独立販売価格 の

比率に基づき、それぞれの履行義務に取引価格を配分する。独立販売価格を直接観察できない場合には、独立販売価格を見積る。

(5) 履行義務を 充足した時 に又は 充足するにつれて 収益を認識する。

約束した 財又はサービス を 顧客に移転 することにより履行義務を 充足した時 に又は 充足するにつれて 、充足した履行義務に配分された額で収益を認識する。履行義務は、所定の要件を満たす場合には 一定の期間 にわたり充足され、所定の要件を満たさない場合には 一時点 で充足される。

(2) 収益の認識基準

会計基準

19. 本会計基準を適用するにあたっては、次の(1)から(5)の要件のすべてを満たす顧客との 契約 を識別する。
    (1) 当事者が、 書面、口頭、取引慣行 等により契約を承認し、それぞれの義務の履行を約束していること
    (2) 移転される財又はサービスに関する各当事者の 権利 を識別できること
    (3) 移転される財又はサービスの 支払条件 を識別できること
    (4) 契約に 経済的実質 があること（すなわち、契約の結果として、企業の 将来 キャッシュ・フローのリスク、時期又は金額が変動すると見込まれること）
    (5) 顧客に移転する財又はサービスと交換に企業が権利を得ることとなる 対価を回収する可能性が高い こと
       当該対価を回収する可能性の評価にあたっては、対価の支払期限到来時における顧客が支払う意思と能力を考慮する。

27. 同一の顧客（当該顧客の関連当事者を含む。）と同時又はほぼ同時に締結した複数の契約について、次の(1)から(3)のいずれかに該当する場合には、当該複数の契約を 結合 し、 単一の契約 とみなして処理する。
    (1) 当該複数の契約が同一の商業的目的を有するものとして交渉されたこと
    (2) 1つの契約において支払われる対価の額が、他の契約の価格又は履行により影響を受けること
    (3) 当該複数の契約において約束した財又はサービスが、第32項から第34項

に従うと単一の履行義務となること

32.　契約における取引開始日に、顧客との契約において約束した財又はサービスを評価し、次の(1)又は(2)のいずれかを顧客に移転する約束のそれぞれについて 履行義務 として識別する。

(1)　 別個 の財又はサービス（あるいは別個の財又はサービスの束）

(2)　 一連の別個 の財又はサービス（特性が実質的に同じであり、顧客への移転のパターンが同じである複数の財又はサービス）

35.　企業は約束した財又はサービス（本会計基準において、顧客との契約の対象となる財又はサービスについて、以下「資産」と記載することもある。）を顧客に移転することにより履行義務を 充足した時 に又は 充足するにつれて 、収益を認識する。資産が移転するのは、顧客が当該資産に対する 支配を獲得した時 又は 獲得するにつれて である。

38.　次の(1)から(3)の要件のいずれかを満たす場合、資産に対する支配を顧客に 一定の期間 にわたり移転することにより、 一定の期間 にわたり履行義務を充足し収益を認識する。

(1)　企業が顧客との契約における義務を履行するにつれて、顧客が便益を享受すること

(2)　企業が顧客との契約における義務を履行することにより、資産が生じる又は資産の 価値 が増加し、当該資産が生じる又は当該資産の 価値 が増加するにつれて、顧客が当該資産を支配すること

(3)　次の要件のいずれも満たすこと

①　企業が顧客との契約における義務を履行することにより、別の用途に転用することができない資産が生じること

②　企業が顧客との契約における義務の履行を 完了 した部分について、対価を収受する強制力のある権利を有していること

39.　前項(1)から(3)の要件のいずれも満たさず、履行義務が 一定の期間 にわたり充足されるものではない場合には、 一時点 で充足される履行義務として、資産に対する支配を顧客に移転することにより当該履行義務が 充足される時 に、収益を認識する。

41.　一定の期間にわたり充足される履行義務については、 履行義務の充足に係る進捗度 を見積り、当該 進捗度 に基づき収益を 一定の期間 にわたり認識する。

43.　履行義務の充足に係る進捗度は、 各決算日 に見直し、当該進捗度の見積りを変更する場合は、 会計上の見積りの変更 （企業会計基準第24号「会

計方針の開示、会計上の変更及び誤謬の訂正に関する会計基準」（以下「企業会計基準第24号」という。）第4項(7)）として処理する。

44. 履行義務の充足に係る進捗度を合理的に見積ることができる場合にのみ、 一定の期間 にわたり充足される履行義務について収益を認識する。

45. 履行義務の充足に係る進捗度を 合理的に見積ることができない が、当該履行義務を充足する際に発生する 費用を回収 することが見込まれる場合には、履行義務の充足に係る進捗度を合理的に見積ることができる時まで、一定の期間にわたり充足される履行義務について 原価回収基準 により処理する。

(3)　収益の額の算定

会計基準

46. 履行義務を充足した時に又は充足するにつれて、 取引価格 （第54項の定めを考慮する。）のうち、当該 履行義務に配分した額 について収益を認識する。

47. 取引価格とは、財又はサービスの顧客への移転と交換に 企業が権利を得ると見込む対価の額 （ただし、 第三者のために回収する額 を除く。）をいう。取引価格の算定にあたっては、契約条件や取引慣行等を考慮する。

48. 顧客により約束された対価の性質、時期及び金額は、取引価格の見積りに影響を与える。取引価格を算定する際には、次の(1)から(4)のすべての影響を考慮する。

(1)　 変動対価
(2)　契約における 重要な金融要素
(3)　現金以外の対価
(4)　顧客に支払われる対価

50.　 顧客と約束した対価 のうち 変動する可能性のある部分 を「変動対価」という。契約において、顧客と約束した対価に変動対価が含まれる場合、財又はサービスの顧客への移転と交換に企業が権利を得ることとなる対価の額を見積る。

51. 変動対価の額の見積りにあたっては、発生し得ると考えられる対価の額における最も可能性の高い単一の金額（ 最頻値 ）による方法又は発生し得ると考えられる対価の額を確率で加重平均した金額（ 期待値 ）による方法のいずれかのうち、企業が権利を得ることとなる対価の額をより適切に予

測できる方法を用いる。

54. 第51項に従って見積られた変動対価の額については、変動対価の額に関する不確実性が事後的に解消される際に、解消される時点までに計上された 収益の著しい減額 が発生しない可能性が高い部分に限り、取引価格 に含める。

65. それぞれの履行義務（あるいは別個の財又はサービス）に対する取引価格の配分は、財又はサービスの顧客への移転と交換に 企業が権利を得ると見込む対価の額 を描写するように行う。

66. 財又はサービスの 独立販売価格 の比率に基づき、契約において識別したそれぞれの履行義務に 取引価格 を配分する。ただし、第70項から第73項の定めを適用する場合を除く。

70. 契約における約束した財又はサービスの独立販売価格の合計額が当該契約の取引価格を超える場合には、契約における財又はサービスの束について顧客に 値引き を行っているものとして、当該 値引き について、契約におけるすべての履行義務に対して比例的に 配分 する。

72. 次の(1)及び(2)の要件のいずれも満たす場合には、変動対価 及びその事後的な変動のすべてを、1つの履行義務あるいは第32項(2)に従って識別された単一の履行義務に含まれる1つの別個の財又はサービスに 配分 する。

(1) 変動性のある支払の条件が、当該履行義務を充足するための活動や当該別個の財又はサービスを移転するための活動（あるいは当該履行義務の充足による特定の結果又は当該別個の財又はサービスの移転による特定の結果）に個別に関連していること

(2) 契約における履行義務及び支払条件のすべてを考慮した場合、変動対価の額のすべてを当該履行義務あるいは当該別個の財又はサービスに配分することが、企業が権利を得ると見込む対価の額を描写すること

(4) 契約資産、契約負債及び顧客との契約から生じた債権

会計基準

77. 顧客から対価を受け取る前又は対価を受け取る期限が到来する前に、財又はサービス を 顧客に移転 した場合は、収益 を認識し、契約資産 又は顧客との契約から生じた 債権 を貸借対照表に計上する。

　本会計基準に定めのない契約資産の会計処理は、金融商品会計基準における債権の取扱いに準じて処理する。また、外貨建ての契約資産に係る外貨換

算については、企業会計審議会「外貨建取引等会計処理基準」（以下「外貨建取引等会計処理基準」という。）の外貨建金銭債権債務の換算の取扱いに準じて処理する。

78. 財又はサービスを顧客に移転する前に顧客から対価を受け取る場合、顧客から対価を受け取った時又は対価を受け取る期限が到来した時のいずれか早い時点で、顧客から受け取る対価について ｜ 契約負債 ｜ を貸借対照表に計上する。

 開　示　

重要度
★

会計基準

79. 企業が履行している場合や企業が履行する前に顧客から対価を受け取る場合等、契約のいずれかの当事者が履行している場合等には、企業は、企業の履行と顧客の支払との関係に基づき、契約資産、契約負債又は顧客との契約から生じた債権を計上する。また、契約資産、契約負債又は顧客との契約から生じた債権を、適切な科目をもって貸借対照表に表示する。

　なお、契約資産と顧客との契約から生じた債権のそれぞれについて、貸借対照表に他の資産と区分して表示しない場合には、それぞれの残高を注記する。また、契約負債を貸借対照表において他の負債と区分して表示しない場合には、契約負債の残高を注記する。

 適用時期等　

重要度
★

会計基準

81. 2020年に改正した本会計基準（以下「2020年改正会計基準」という。）は、2021年4月1日以後開始する連結会計年度及び事業年度の期首から適用す

る。

82.　ただし、2020年4月1日以後開始する連結会計年度及び事業年度の期首か
　　ら本会計基準を適用することができる。

90.　第81項の適用により、次の企業会計基準、企業会計基準適用指針及び実務
　　対応報告は廃止する。

　⑴　企業会計基準第15号「工事契約に関する会計基準」（以下「工事契約会
　　　計基準」という。）

　⑵　企業会計基準適用指針第18号「工事契約に関する会計基準の適用指針」
　　　（以下「工事契約適用指針」という。）

　⑶　実務対応報告第17号「ソフトウェア取引の収益の会計処理に関する実務
　　　上の取扱い」（以下「ソフトウェア取引実務対応報告」という。）

第21章

討議資料 財務会計の概念 フレームワーク

最終改正　平成18年12月28日

1　財務報告の目的
2　会計情報の質的特性
3　財務諸表の構成要素
4　財務諸表における認識と測定

1 財務報告の目的 重要度 ★★

序 文

　本章では、財務報告を支える基本的な前提や概念のうち、その目的の記述に主眼が置かれている。基礎概念の体系化に際し、財務報告の目的を最初にとりあげたのは、一般に社会のシステムは、その目的が基本的な性格を決めているからである。財務報告のシステムも、その例外ではない。

　ただし、どのような社会のシステムも、時代や環境の違いを超えた普遍的な目的を持つわけではない。財務報告制度の目的は、社会からの要請によって与えられるものであり、自然に決まってくるのではない。とすれば、この制度に対し、いま社会からいかなる要請がなされているのかを確かめることは、そのあり方を検討する際に最優先すべき作業であろう。

　財務報告はさまざまな役割を果たしているが、ここでは、その目的が、 投資家 による 企業成果の予測 と 企業価値の評価 に役立つような、 企業の財務状況 の開示にあると考える。自己の責任で将来を予測し投資の判断をする人々のために、企業の 投資のポジション（ストック） とその 成果（フロー） が開示されるとみるのである。

　もちろん、会計情報を企業価値の推定に利用することを重視するからといって、それ以外の使われ方を無視できるわけではない。本章では、会計情報の副次的な利用の典型例やそれらと会計基準設定との関係についても記述されている。

本 文

1. 企業の将来を予測するうえで、企業の現状に関する情報は不可欠であるが、その情報を入手する機会について、投資家と経営者の間には一般に大きな格差がある。このような状況のもとで、情報開示が不十分にしか行われないと、企業の発行する株式や社債などの価値を推定する際に投資家が自己責任を負うことはできず、それらの証券の円滑な発行・流通が妨げられることにもなる。そうした情報の 非対称性 を緩和し、それが生み出す市場の機能障害を解決するため、経営者による私的情報の開示を促進するのが ディスクロージャー制度 の存在意義である。

2．投資家は不確実な ┃将来キャッシュフロー┃ への期待のもとに、自らの意
思で自己の資金を企業に投下する。その不確実な ┃成果┃ を予測して意思決
定をする際、投資家は企業が資金をどのように ┃投資┃ し、実際にどれだけ
の ┃成果┃ をあげているかについての情報を必要としている。経営者に開示
が求められるのは、基本的にはこうした情報である。財務報告の目的は、投
資家の意思決定に資するディスクロージャー制度の一環として、┃投資のポ
ジション┃ とその ┃成果┃ を測定して開示することである。

3．財務報告において提供される情報の中で、投資の成果を示す利益情報は基
本的に ┃過去の成果┃ を表すが、企業価値評価の基礎となる ┃将来キャッ
シュフロー┃ の予測に広く用いられている。このように利益の情報を利用す
ることは、同時に、利益を生み出す ┃投資のストック┃ の情報を利用するこ
とも含意している。投資の成果の絶対的な大きさのみならず、それを生み出
す投資のストックと比較した ┃収益性┃ （あるいは ┃効率性┃） も重視される
からである。

2 会計情報の質的特性　　重要度 ★

本 文

1．財務報告の目的は、企業価値評価の基礎となる情報、つまり投資家が将来
キャッシュフローを予測するのに役立つ企業成果等を開示することである。
この目的を達成するにあたり、会計情報に求められる最も基本的な特性は、
┃意思決定有用性┃ である。すなわち、会計情報には、投資家が企業の不確
実な成果を予測するのに ┃有用┃ であることが期待されている。

2．意思決定有用性は、意思決定目的に関連する情報であること （┃意思決定
との関連性┃）と、一定の水準で信頼できる情報であること（┃信頼性┃）の2
つの下位の特性により支えられている。さらに、┃内的整合性┃ と ┃比較可
能性┃ が、それら3者の階層を基礎から支えると同時に、必要条件ないし閾
限界として機能する。

3．このうち意思決定との関連性とは、会計情報が将来の投資の成果について
の予測に関連する内容を含んでおり、企業価値の推定を通じた投資家による

意思決定に積極的な影響を与えて貢献することを指す。

6. 会計情報の有用性は、信頼性にも支えられている。信頼性とは、 中立性 ・ 検証可能性 ・ 表現の忠実性 などに支えられ、会計情報が信頼に足る情報であることを指す。

9. 会計情報が利用者の意思決定にとって有用であるためには、会計情報を生み出す会計基準が 内的整合性 を満たしていなければならない。会計基準は少数の基礎概念に支えられた1つの体系をなしており、意思決定有用性がその体系の目標仮説となっている。一般に、ある個別の会計基準が、会計基準全体を支える基本的な考え方と矛盾しないとき、その個別基準は 内的整合性 を有しているという。そのように個別基準が内的に整合している場合、その個別基準に従って作成される会計情報は 有用 であると推定される。

11. 会計情報が利用者の意思決定にとって有用であるためには、会計情報には 比較可能性 がなければならない。ここで比較可能性とは、同一企業の会計情報を 時系列 で比較する場合、あるいは、同一時点の会計情報を 企業間 で比較する場合、それらの比較に障害とならないように会計情報が作成されていることを要請するものである。そのためには、同様の事実（対象）には同一の会計処理が適用され、異なる事実（対象）には異なる会計処理が適用されることにより、会計情報の利用者が、 時系列 比較や 企業間 比較にあたって、事実の同質性と異質性を峻別できるようにしなければならない。

---

3 財務諸表の構成要素　　重要度 ★★★

本文

3. 貸借対照表と損益計算書が 投資のポジション と 成果 を開示するという役割を担っているため、それぞれの構成要素は、これらの役割を果たすものに限られる。構成要素の定義は、財務報告の目的と財務諸表の役割に適合するかぎりで意味を持つのであり、そうした役割を果たさないものは、たとえ以下の各定義を充足しても、財務諸表の構成要素とはならない。

4．資産とは、 過去の取引または事象 の結果として、 報告主体 が支配している 経済的資源 をいう。

5．負債とは、 過去の取引または事象 の結果として、 報告主体 が支配している 経済的資源 を放棄もしくは引き渡す 義務 、またはその 同等物 をいう。

6．純資産とは、 資産 と 負債 の差額をいう。

7．株主資本とは、 純資産 のうち 報告主体 の所有者である 株主 （連結財務諸表の場合には 親会社株主 ）に帰属する部分をいう。

8．包括利益とは、 特定期間における純資産の変動額 のうち、報告主体の所有者である株主、子会社の少数株主、及び将来それらになり得るオプションの所有者との直接的な取引によらない部分をいう。

9．純利益とは、 特定期間の期末までに生じた純資産の変動額 （報告主体の所有者である株主、子会社の少数株主、及び前項にいうオプションの所有者との直接的な取引による部分を除く。）のうち、その期間中に リスクから解放された投資の成果 であって、報告主体の所有者に帰属する部分をいう。純利益は、純資産のうちもっぱら 株主資本 だけを増減させる。

12．包括利益のうち、(1) 投資のリスクから解放されていない 部分を除き、(2)過年度に計上された包括利益のうち期中に 投資のリスクから解放された 部分を加え、(3)少数株主損益を控除すると、純利益が求められる。

13．収益とは、 純利益 または少数株主損益を 増加 させる項目であり、 特定期間の期末 までに生じた 資産の増加 や 負債の減少 に見合う額のうち、 投資のリスクから解放された 部分である。収益は、投資の産出要素、すなわち、投資から得られるキャッシュフローに見合う会計上の尺度である。投入要素に投下された資金は、将来得られるキャッシュフローが不確実であるというリスクにさらされている。キャッシュが獲得されることにより、投資のリスクがなくなったり、得られたキャッシュの分だけ投資のリスクが減少したりする。一般に、キャッシュとは現金及びその同等物をいうが、投資の成果がリスクから解放されるという判断においては、実質的にキャッシュの獲得とみなされる事態も含まれる。収益は、そのように投下資金が 投資のリスクから解放された ときに把握される。

15．費用とは、 純利益 または少数株主損益を 減少 させる項目であり、 特定期間の期末 までに生じた 資産の減少 や 負債の増加 に見合う額のうち、 投資のリスクから解放された 部分である。費用は、投資によりキャッシュを獲得するために費やされた（犠牲にされた）投入要素に見合

う会計上の尺度である。投入要素に投下された資金は、キャッシュが獲得されたとき、または、もはやキャッシュを獲得できないと判断されたときに、その役割を終えて消滅し、投資のリスクから解放される。費用は、そのように投下資金が 投資のリスクから解放された ときに把握される。

結論の根拠と背景説明

23. この概念フレームワークでは、純利益を定義する上で、「 投資のリスクから解放された 」という表現を用いている。投資のリスクとは、投資の成果の 不確定性 であるから、成果が 事実 となれば、それはリスクから解放されることになる。投資家が求めているのは、投資にあたって 期待 された成果に対して、どれだけ 実際 の成果が得られたのかについての情報である。

4 財務諸表における認識と測定

重要度
★

本 文

1. 財務諸表における認識とは、構成要素を財務諸表の本体に計上することをいう。
2. 財務諸表における測定とは、財務諸表に計上される諸項目に貨幣額を割り当てることをいう。
3. 第3章「財務諸表の構成要素」の定義を充足した各種項目の認識は、基礎となる契約の原則として 少なくとも一方の履行 が契機となる。さらに、いったん認識した資産・負債に生じた 価値の変動 も、新たな構成要素を認識する契機となる。
4. 前項の第一文は、双務契約であって、双方が 未履行 の段階にとどまるものは、原則として、財務諸表上で認識しないことを述べている。履行の見込みが不確実な契約から各種の構成要素を認識すれば、誤解を招く情報が生み出されてしまうとみるのが通念である。それを避けるため、伝統的に、各種構成要素の認識は、契約が少なくとも部分的に履行されるのを待って行わ

れてきた。

5．ただし、金融商品に属する契約の一部は、 双務未履行 の段階で財務諸表に計上されている。その典型例が、決済額と市場価格との差額である純額を市場で随時取引できる金融商品である。そのような金融商品への投資について、その純額の変動そのものがリスクから解放された投資の成果とみなされる場合には、その変動額を未履行の段階で認識することもある。

6．第3章「財務諸表の構成要素」の定義を充足した各種項目が、財務諸表上での認識対象となるためには、本章第3項に記した事象が生じることに加え、一定程度の発生の可能性が求められる。一定程度の発生の可能性（ 蓋然性 ）とは、財務諸表の構成要素に関わる将来事象が、一定水準以上の確からしさで生じると見積られることをいう。

7．財務諸表の構成要素を認識する際に前項の要件が求められるのは、発生の可能性が極めて乏しい構成要素を財務諸表上で認識すると、誤解を招く情報が生まれるからである。とはいえ、逆に確定した事実のみに依拠した会計情報は有用ではないとみるのも、伝統的な通念である。発生の可能性を問題にする場合には、2つの相反する要請のバランスを考えなければならない。

結論の根拠と背景説明

56．第3章「財務諸表の構成要素」では、 リスクから解放された 投資の成果が純利益として定義されている。したがって、本章では、特定の測定値やその変動などで測った投資の成果にどのような意味が付与されるのかを説明する際、投資のリスクから解放されているか否かに注意が向けられている。

57．第3章の第23項で述べたように、投資の成果がリスクから解放されるというのは、投資にあたって 期待 された成果が 事実 として確定することをいうが、特に事業投資については、事業のリスクに拘束されない 独立の資産 を獲得したとみなすことができるときに、投資のリスクから解放されると考えられる。もちろん、どのような事象をもって独立の資産を獲得したとみるのかについては、解釈の余地が残されている。個別具体的なケースにおける解釈は、個別基準の新設・改廃に際し、コンセンサスなどに基づき与えられる。これに対して、事業の目的に拘束されず、保有資産の値上りを期待した金融投資に生じる 価値の変動 は、そのまま期待に見合う事実として、リスクから解放された投資の成果に該当する。

58．「投資のリスクからの解放」と類似したものとして、「 実現 」、あるいは「 実現可能 」という概念がある。「実現した成果」については解釈が分かれ

るものの、最も狭義に解した「実現した成果」は、 売却 という事実に裏
づけられた成果、すなわち非貨幣性資産の貨幣性資産への転換という事実に
裏づけられた成果として意味づけられることが多い。この意味での「実現し
た成果」は、この概念フレームワークでいう「リスクから解放された投資
の成果」に含まれる。ただし、投資のリスクからの解放は、いわゆる換金
可能性や処分可能性のみで判断されるのではない。他方の「実現可能な成
果」は、 現金またはその同等物 への転換が容易である成果（あるいは容
易になった成果）として意味づけられることが多い。この意味での「実現可
能な成果」の中には、「リスクから解放された投資の成果」に該当しないも
のも含まれている。このように「実現」という用語が多義的に用いられてい
ること、及びそのいずれか１つの意義では、様々な実態や本質を有する投
資について、純利益及び収益・費用の認識の全体を説明するものではない
ことから、これらを包摂的に説明する用語として 投資のリスクからの解
放 」という表現を用いることとした。

MEMO

出典：

下記の会計基準は、公益財団法人財務会計基準機構および企業会計基準委員会の公表物から転載しました。

  企業会計基準　第1号、第5号、第7号、第8号、第9号、第10号、第13号、第18号、
    第21号、第22号、第24号、第25号、第26号、第29号
  討議資料財務会計の概念フレームワーク

税理士受験シリーズ

2025年度版　33　財務諸表論　重要会計基準

（初版　2010年12月1日　初版 第1刷発行）

2024年8月9日　初　版　第1刷発行

編 著 者	T A C 株 式 会 社	（税理士講座）
発 行 者	多 田 敏 男	
発 行 所	TAC株式会社　出版事業部	（TAC出版）

〒101-8383
東京都千代田区神田三崎町3-2-18
電話 03(5276)9492(営業)
FAX 03(5276)9674
https://shuppan.tac-school.co.jp

印　　刷	株式会社 ワ コ ー	
製　　本	株式会社 常 川 製 本	

© TAC 2024　　Printed in Japan　　ISBN 978-4-300-11333-2
N.D.C. 336

2025年合格目標コース

反復学習でインプット強化! & 豊富な演習量で実践力強化!

対象者：初学者／次の科目の学習に進む方

2024年				2025年							
9月	10月	11月	12月	1月	2月	3月	4月	5月	6月	7月	8月

9月入学 基礎マスター＋上級コース（簿記・財表・相続・消費・酒税・固定・事業・国徴）
3回転学習！年内はインプットを強化、年明けは演習機会を増やして実践力を鍛える！
※簿記・財表は5月・7月・8月・10月入学コースもご用意しています。

9月入学 ベーシックコース（法人・所得）
2回転学習！週2ペース、8ヵ月かけてインプットを鍛える！

9月入学 年内完結＋上級コース（法人・所得）
3回転学習！年内はインプットを強化、年明けは演習機会を増やして実践力を鍛える！

12月・1月入学 速修コース（全11科目）
7ヵ月〜8ヵ月間で合格レベルまで仕上げる！

3月入学 速修コース（消費・酒税・固定・国徴）
短期集中で税法合格を目指す！

税理士試験

対象者：受験経験者 （受験した科目を再度学習する場合）

2024年				2025年							
9月	10月	11月	12月	1月	2月	3月	4月	5月	6月	7月	8月

9月入学 年内上級講義＋上級コース（簿記・財表）
年内に基礎・応用項目の再確認を行い、実力を引き上げる！

9月入学 年内上級演習＋上級コース（法人・所得・相続・消費）
年内から問題演習に取り組み、本試験時の実力維持・向上を図る！

12月入学 上級コース（全10科目）
※住民税の開講はございません
講義と演習を交互に実施し、答案作成力を養成！

税理士試験

※2024年7月12日時点の情報です。最新の情報は、TAC税理士講座ホームページをご確認ください。

"入学前サポート"を活用しよう!

無料セミナー&個別受講相談

無料セミナーでは、税理士の魅力、試験制度、科目選択の方法や合格のポイントをお伝えしていきます。セミナー終了後は、個別受講相談でみなさんの疑問や不安を解消します。

TAC 税理士 セミナー　検索

https://www.tac-school.co.jp/kouza_zeiri/zeiri_gd_gd.htm

無料Webセミナー

TAC動画チャンネルでは、校舎で開催しているセミナーのほか、Web限定のセミナーも多数配信しています。受講前にご活用ください。

TAC 税理士 動画　検索

https://www.tac-school.co.jp/kouza_zeiri/tacchannel.html

体験入学

教室講座開講日(初回講義)は、お申込み前でも無料で講義を体験できます。講師の熱意や校舎の雰囲気を是非体感してください。

TAC 税理士 体験　検索

https://www.tac-school.co.jp/kouza_zeiri/zeiri_gd_taiken.html

税理士11科目Web体験

「税理士11科目Web体験」では、TAC税理士講座で開講する各科目・コースの初回講義をWeb視聴いただけるサービスです。講義の分かりやすさを確認いただき、学習のイメージを膨らませてください。

TAC 税理士　検索

https://www.tac-school.co.jp/kouza_zeiri/taiken_form.html

税理士講座のご案内

チャレンジコース

受験経験者・独学生待望のコース!

4月上旬開講!

開講科目	簿記・財表・法人 所得・相続・消費

基礎知識の底上げ 徹底した本試験対策

チャレンジ講義 ＋ チャレンジ演習 ＋ 直前対策講座 ＋ 全国公開模試

受験経験者・独学生向けカリキュラムが一つのコースに!

※チャレンジコースには直前対策講座(全国公開模試含む)が含まれています。

直前対策講座

5月上旬開講!

本試験突破の最終仕上げ!

直前期に必要な対策がすべて揃っています!

学習 メディア	教室講座・ビデオブース講座 Web通信講座・DVD通信講座・資料通信講座

\ 全11科目対応 /

開講科目	簿記・財表・法人・所得・相続・消費 酒税・固定・事業・住民・国徴

- 徹底分析!「試験委員対策」
- 即時対応!「税制改正」
- 毎年的中!「予想答練」

※直前対策講座には全国公開模試が含まれています。

チャレンジコース・直前対策講座ともに詳しくは2月下旬発刊予定の
「チャレンジコース・直前対策講座パンフレット」をご覧ください。

会計業界への就職・転職支援サービス

TAC出版 書籍のご案内

TAC出版では、資格の学校TAC各講座の定評ある執筆陣による資格試験の参考書をはじめ、
資格取得者の開業法や仕事術、実務書、ビジネス書、一般書などを発行しています！

TAC出版の書籍
*一部書籍は、早稲田経営出版のブランドにて刊行しております。

資格・検定試験の受験対策書籍

- ✪日商簿記検定
- ✪建設業経理士
- ✪全経簿記上級
- ✪税　理　士
- ✪公認会計士
- ✪社会保険労務士
- ✪中小企業診断士
- ✪証券アナリスト

- ✪ファイナンシャルプランナー(FP)
- ✪証券外務員
- ✪貸金業務取扱主任者
- ✪不動産鑑定士
- ✪宅地建物取引士
- ✪賃貸不動産経営管理士
- ✪マンション管理士
- ✪管理業務主任者

- ✪司法書士
- ✪行政書士
- ✪司法試験
- ✪弁理士
- ✪公務員試験(大卒程度・高卒者)
- ✪情報処理試験
- ✪介護福祉士
- ✪ケアマネジャー
- ✪電験三種　ほか

実務書・ビジネス書

- ✪会計実務、税法、税務、経理
- ✪総務、労務、人事
- ✪ビジネススキル、マナー、就職、自己啓発
- ✪資格取得者の開業法、仕事術、営業術

一般書・エンタメ書

- ✪ファッション
- ✪エッセイ、レシピ
- ✪スポーツ
- ✪旅行ガイド (おとな旅プレミアム/旅コン)

(2024年2月現在)

書籍のご購入は

1 全国の書店、大学生協、ネット書店で

2 TAC各校の書籍コーナーで

資格の学校TACの校舎は全国に展開！
校舎のご確認はホームページにて

資格の学校TAC ホームページ
https://www.tac-school.co.jp

3 TAC出版書籍販売サイトで

CYBER TAC出版書籍販売サイト
BOOK STORE

TAC 出版 で 検索

24時間ご注文受付中

https://bookstore.tac-school.co.jp/

- 新刊情報を いち早くチェック！
- たっぷり読める 立ち読み機能
- 学習お役立ちの 特設ページも充実！

TAC出版書籍販売サイト「サイバーブックストア」では、TAC出版および早稲田経営出版から刊行されている、すべての最新書籍をお取り扱いしています。
また、会員登録（無料）をしていただくことで、会員様限定キャンペーンのほか、送料無料サービス、メールマガジン配信サービス、マイページのご利用など、うれしい特典がたくさん受けられます。

サイバーブックストア会員は、特典がいっぱい！（一部抜粋）

通常、1万円（税込）未満のご注文につきましては、送料・手数料として500円（全国一律・税込）頂戴しておりますが、1冊から無料となります。

専用の「マイページ」は、「購入履歴・配送状況の確認」のほか、「ほしいものリスト」や「マイフォルダ」など、便利な機能が満載です。

メールマガジンでは、キャンペーンやおすすめ書籍、新刊情報のほか、「電子ブック版TACNEWS（ダイジェスト版）」をお届けします。

書籍の発売を、販売開始当日にメールにてお知らせします。これなら買い忘れの心配もありません。

※暗記音声はダウンロード商品です。TAC出版書籍販売サイト「サイバーブックストア」にてご購入いただけます。

●2025年度版 みんなが欲しかった！税理士 教科書&問題集シリーズ

「効率的に税理士試験対策の学習ができないか？ これを突き詰めてできあがったのが、「みんなが欲しかった！税理士 教科書&問題集シリーズ」です。必要十分な内容をわかりやすくまとめたテキスト（教科書）と内容確認のためのトレーニング（問題集）が1冊になっているので、効率的な学習に最適です。

●解き方学習用問題集

現役講師の解答手順、思考過程、実際の書込みなど、㊙テクニックを完全公開した書籍です。

簿 記 論 個別問題の解き方 〔第7版〕
簿 記 論 総合問題の解き方 〔第7版〕
財務諸表論 理論答案の書き方 〔第7版〕
財務諸表論 計算問題の解き方 〔第7版〕

●その他関連書籍

好評発売中！

消費税課否判定要覧 〔第5版〕
法人税別表4、5（一）（二）書き方完全マスター 〔第6版〕
女性のための資格シリーズ 自力本願で税理士
年商倍々の成功する税理士開業法
Q&Aでわかる 税理士事務所・税理士法人勤務 完全マニュアル

書籍の正誤に関するご確認とお問合せについて

書籍の記載内容に誤りではないかと思われる箇所がございましたら、以下の手順にてご確認とお問合せをしてくださいますよう、お願い申し上げます。

なお、正誤のお問合せ以外の**書籍内容に関する解説および受験指導などは、一切行っておりません。**
そのようなお問合せにつきましては、お答えいたしかねますので、あらかじめご了承ください。

1 「Cyber Book Store」にて正誤表を確認する

TAC出版書籍販売サイト「Cyber Book Store」の
トップページ内「正誤表」コーナーにて、正誤表をご確認ください。

CYBER TAC出版書籍販売サイト
BOOK STORE

URL：https://bookstore.tac-school.co.jp/

2 1の正誤表がない、あるいは正誤表に該当箇所の記載がない
⇒ 下記①、②のどちらかの方法で文書にて問合せをする

★ご注意ください★

お電話でのお問合せは、お受けいたしません。

①、②のどちらの方法でも、お問合せの際には、「お名前」とともに、
「対象の書籍名（○級・第○回対策も含む）およびその版数（第○版・○○年度版など）」
「お問合せ該当箇所の頁数と行数」
「誤りと思われる記載」
「正しいとお考えになる記載とその根拠」
を明記してください。

なお、回答までに1週間前後を要する場合もございます。あらかじめご了承ください。

---

① ウェブページ「Cyber Book Store」内の「お問合せフォーム」より問合せをする

【お問合せフォームアドレス】

https://bookstore.tac-school.co.jp/inquiry/

② メールにより問合せをする

【メール宛先　TAC出版】

syuppan-h@tac-school.co.jp

※土日祝日はお問合せ対応をおこなっておりません。
※正誤のお問合せ対応は、該当書籍の改訂版刊行月末日までといたします。

乱丁・落丁による交換は、該当書籍の改訂版刊行月末日までといたします。なお、書籍の在庫状況等により、お受けできない場合もございます。
また、各種本試験の実施の延期、中止を理由とした本書の返品はお受けいたしません。返金もいたしかねますので、あらかじめご了承くださいますようお願い申し上げます。

（2022年7月現在）